W9-AYY-896
CLASSIC PUZZLES
BRAIN TRAINING
Over 130 puzzles
hinkler

Published by Hinkler Books Pty Ltd
45–55 Fairchild Street
Heatherton Victoria 3202 Australia
www.hinkler.com

Hinkler Books Pty Ltd 2018

Cover design: Bianca Zuccolo
Internal design: Hinkler Design Studio
Prepress: Splitting Image

ISBN: 978 1 4889 1208 5

Printed and bound in China

INSTRUCTIONS

A–Z Puzzle
There are 26 blank squares in the crossword grid. Complete the grid by entering each letter from A to Z once into the grid to solve the puzzle.

Battleships
Deduce the location of each ship listed below the grid.
The numbers around the edge of the grid specify the number of ship segments found in each row and column of the grid.
Each ship is surrounded on all sides (horizontally, vertically and diagonally) by water.

Codeword
Each number from 1–26 represents a letter of the alphabet from A–Z. Every letter appears in the grid at least once, and is represented by just one number. For instance, 7 might stand for the letter T. Crack the entire code to complete the crossword grid.

Fitword
Fit all the words into the grid to complete the puzzle. Some words may initially fit in more than one place, but there is only one way to fit all the words together to complete the grid.

Hexagonal Maze
Find a single path from top to bottom without breaking through the walls. Start from the entrance arrow at the top and end at the exit arrow at the bottom.

Jigsaw Sudoku
Place the numbers 1–9 exactly once in each row, column and bold-lined jigsaw region.

Killer Sudoku
Place the numbers 1–9 exactly once per row, column and 3×3 bold-outlined box. Additionally, the sum total of the squares in each dashed-outline shape must match the total given in that shape, and you may not repeat a number within a dashed-outline shape.

Number Square
Enter the remaining numbers from 1–9 once in each of the empty squares to complete the sums correctly. Perform calculations from left to right and top to bottom, not in strict mathematical order or using order of operations.

Number Tower
Complete the tower so that every square contains a number. The number in each square is the sum of the two squares directly below it.

Symbols of Value
Each shape represents a positive whole number. The sum total of the shapes in each row/column is displayed at the end of each row/column. Use this knowledge to deduce the numerical value of each shape.

Wordwheel
Find as many words of three or more letters in the wheel as you can. Each word must use the central letter and a selection from the outer wheel – no letter may be used more times than it appears in the wheel. Can you find the nine-letter word hidden in the wheel?

PUZZLES

HEXAGONAL MAZE

FITWORD – SPACE

3 letters

Sun

4 letters

Mars
Moon
Star

5 letters

Ceres
Comet
Earth
Orbit
Ozone
Pluto
Venus

6 letters

Cosmos
Nebula
Saturn
Uranus

7 letters

Eclipse
Mercury
Neptune

9 letters

Meteorite

A–Z PUZZLE

KILLER SUDOKU

5	13	16			8	11	11	11
		19	6					
21			8		10		10	6
	7	9	11		16			
			6		13	17	10	
13	10	16		17			11	
		14				7	7	
3			16		7			16
15						9		

WORDWHEEL

The nine-letter word is:

JIGSAW SUDOKU

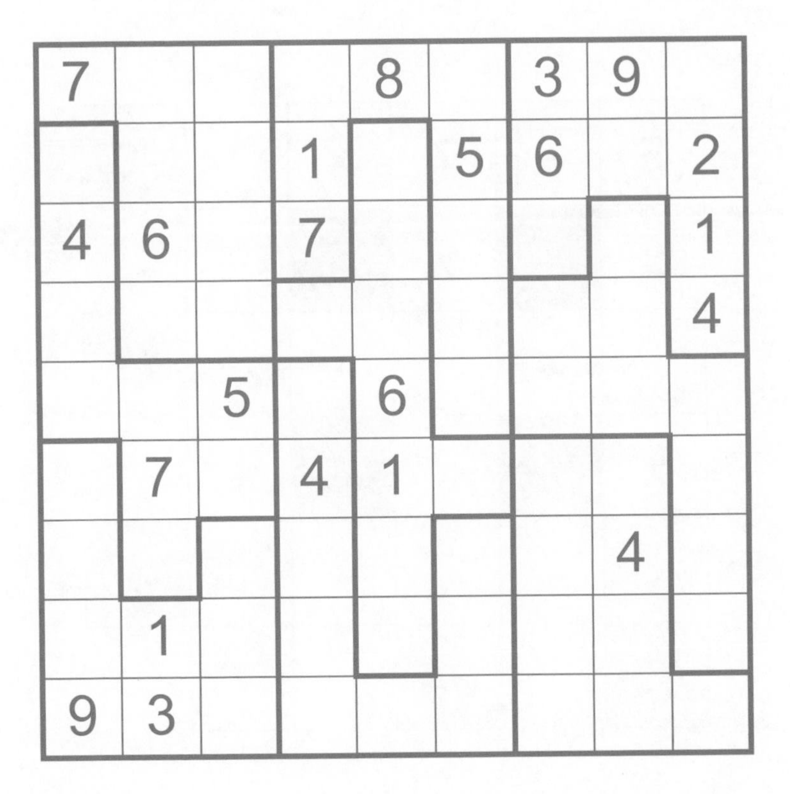

7				8		3	9	
			1		5	6		2
4	6		7					1
								4
		5		6				
	7		4	1				
							4	
	1							
9	3							

NUMBER SQUARE

5	-	7	x		-6
x		x		-	
	+		-		11
x		x		+	
	-		-		-9
45		84		7	

SYMBOLS OF VALUE

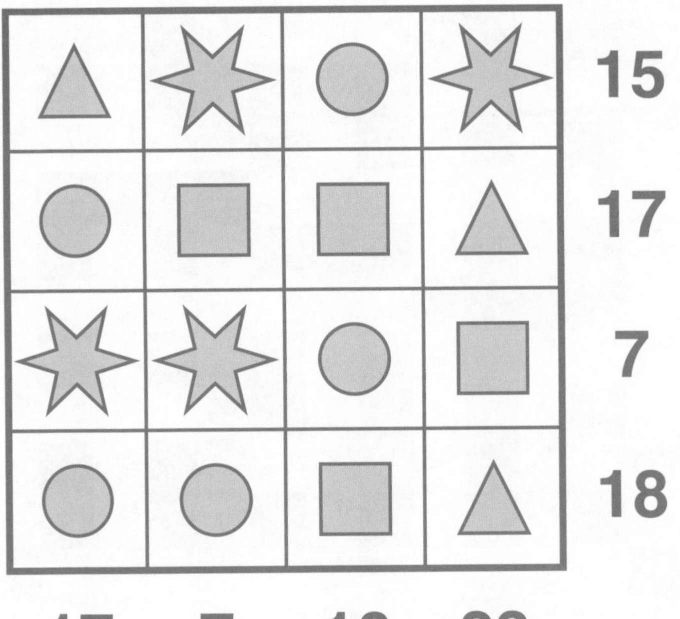

17 7 10 23

PUZZLE 9

CODEWORD

	7	4	11	1	19	13	15	24	19	3	2	
7		25		14		4		15		10		12
4		11		21	15	12	20	12		16	3	8
23	3	1	14	21		24		20		4		19
4		4		15		1		12	24	1	14	24
2	3	12	4	9	15	6	12					17
12		12		4				16		18		4
4					7	19	2	3	12	15	14	1
22	3	15	24	16		7		1		12		22
4		1		15		4		21	15	21	5	15
12	20	19		19	21	15	9	3		19		2
12		12		20		22		2		2		7
	12	4	26	14	4	12	24	4	1	4	7	

A B C D E F G H I J K L M N O P Q R S T U V W X Y Z

1	2	3	4	5	6	7	8	9	10	11	12	13
				B					C			

14	15	16	17	18	19	20	21	22	23	24	25	26
U												

BATTLESHIPS

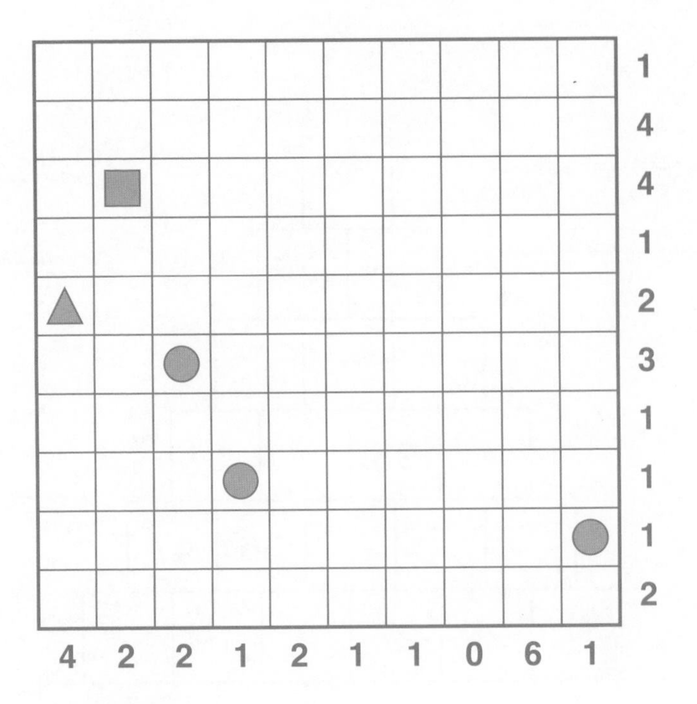

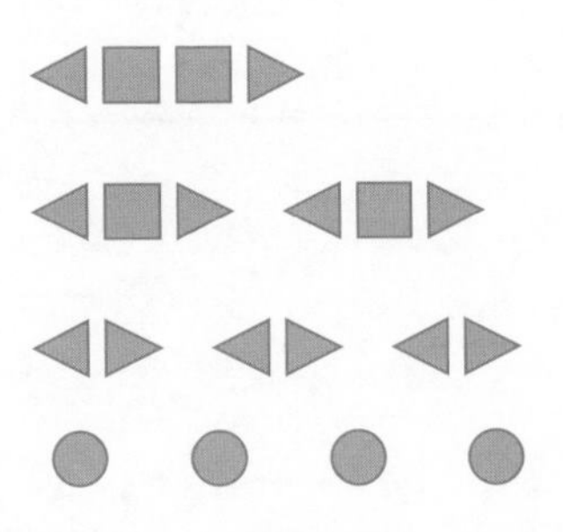

NUMBER TOWER

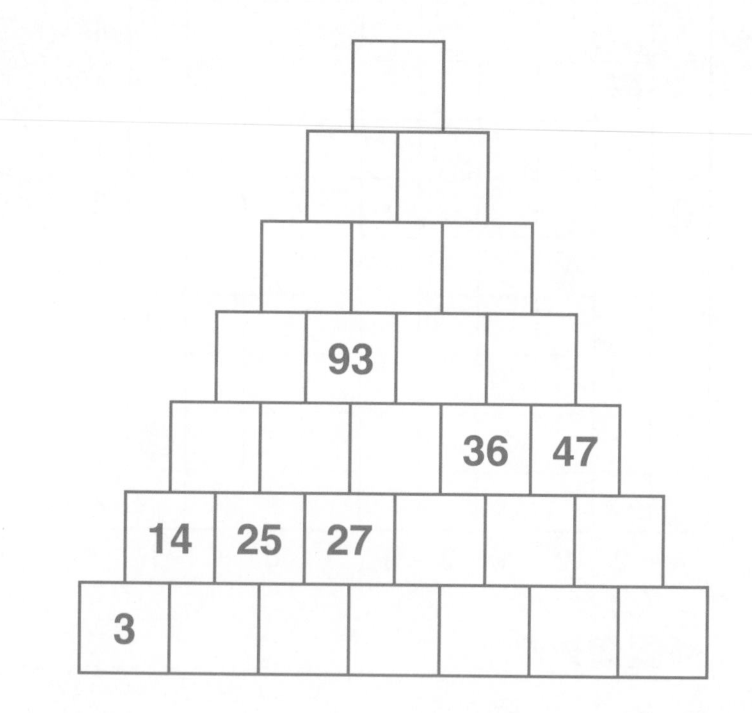

HEXAGONAL MAZE

FITWORD – "E" WORDS

3 letters
Ego
End

4 letters
Edge
Eyes

5 letters
Eagle
Elite
Ethos
Exist

6 letters
Enigma
Exodus

7 letters
Elastic
Elevate
Ellipse
Enforce
Exclude

8 letters
Election
Exercise

9 letters
Extrovert

A–Z PUZZLE

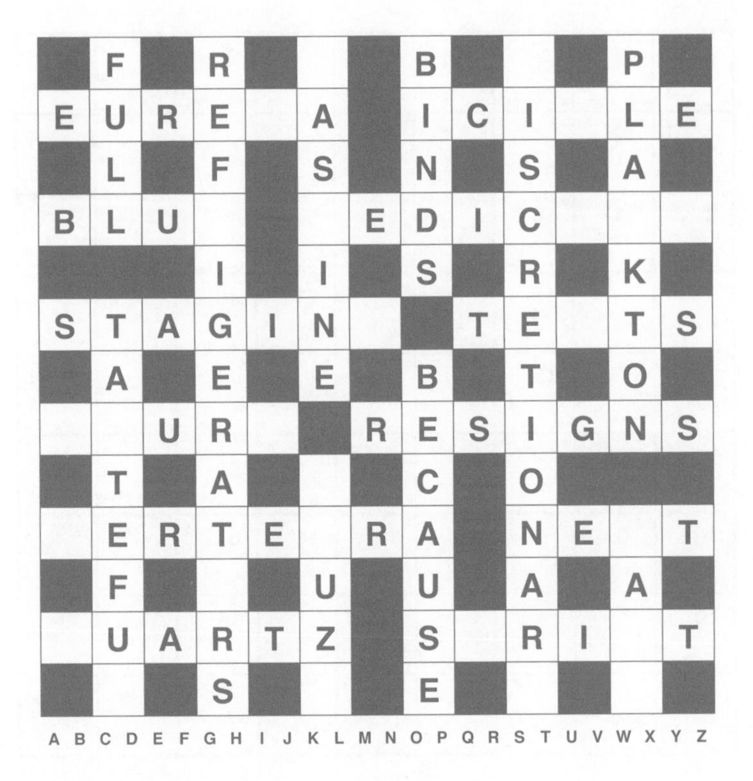
F R B P
E U R E A I C I L E
L F S N S A
B L U E D I C
I I S R K
S T A G I N T E T S
A E E B T O
U R R E S I G N S
T A C O
E R T E R A N E T
F U U A A
U A R T Z S R I T
S E
A B C D E F G H I J K L M N O P Q R S T U V W X Y Z

KILLER SUDOKU

3	15		15	6		9	8	24
	12			8				
8	11	18			5			
		15			21	18		
15	6	15				11		5
		12	9			11		
10			10	17	14	8		
10						14	16	11
15								

WORDWHEEL

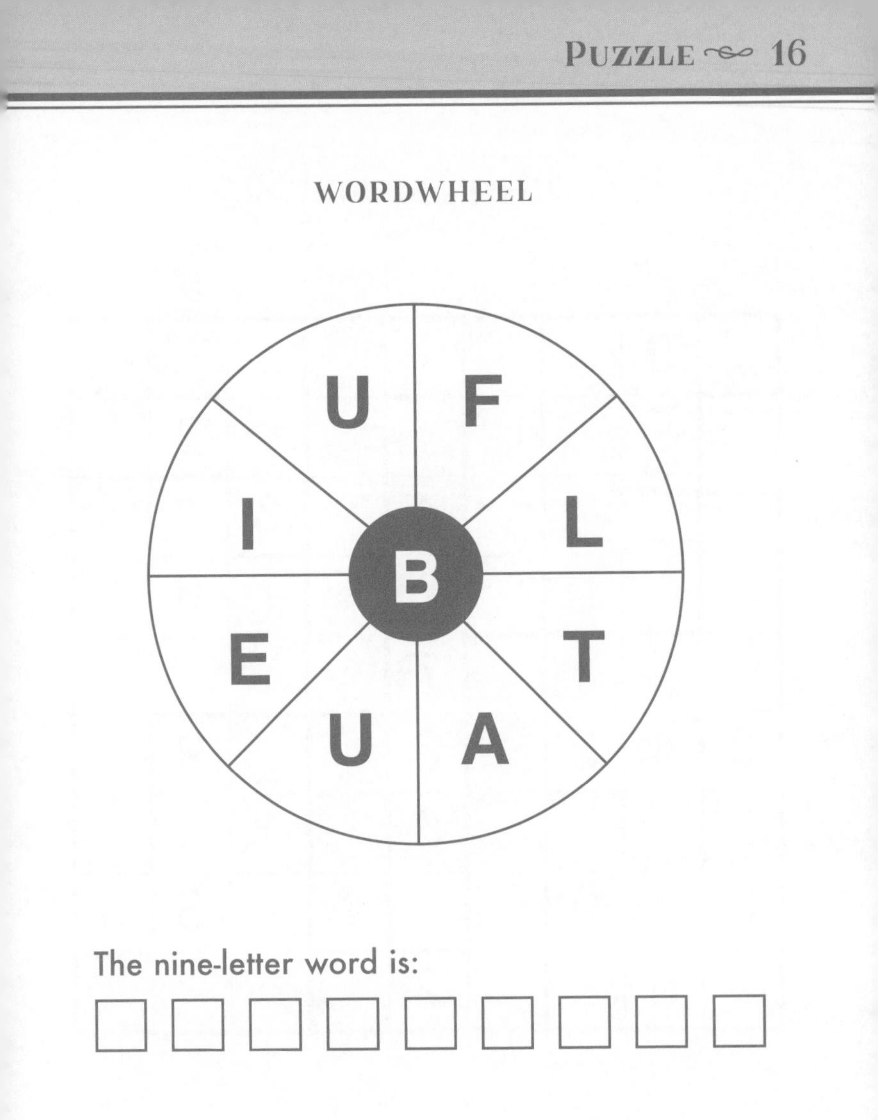

The nine-letter word is:

JIGSAW SUDOKU

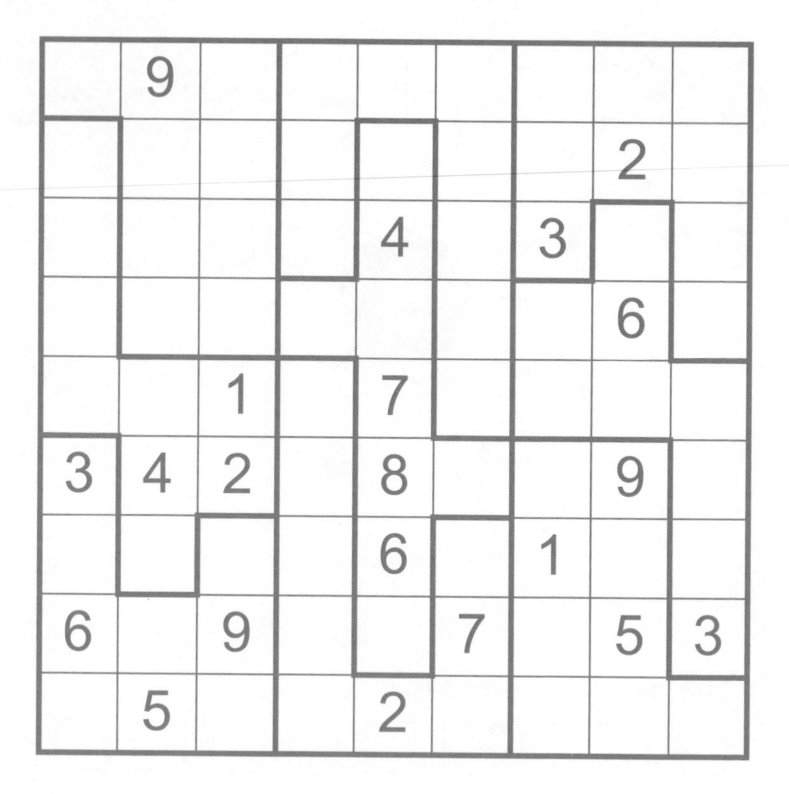

NUMBER SQUARE

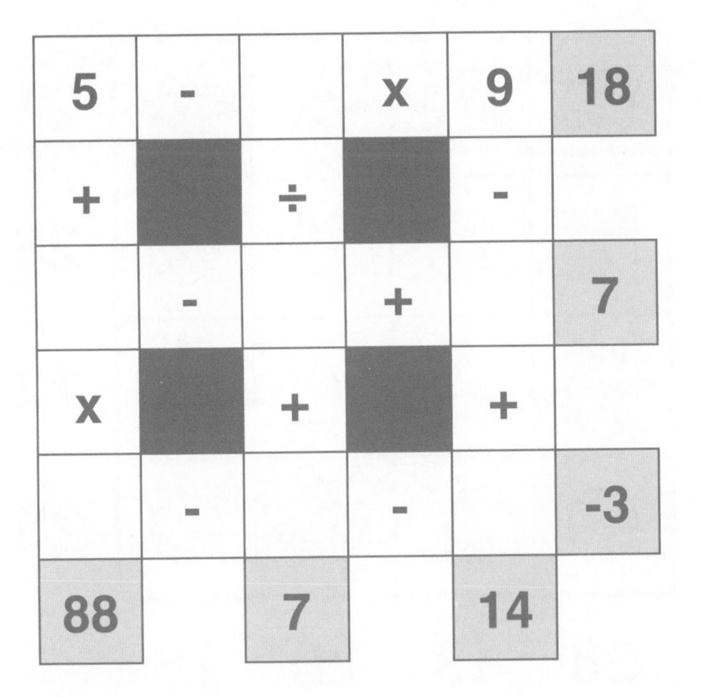

SYMBOLS OF VALUE

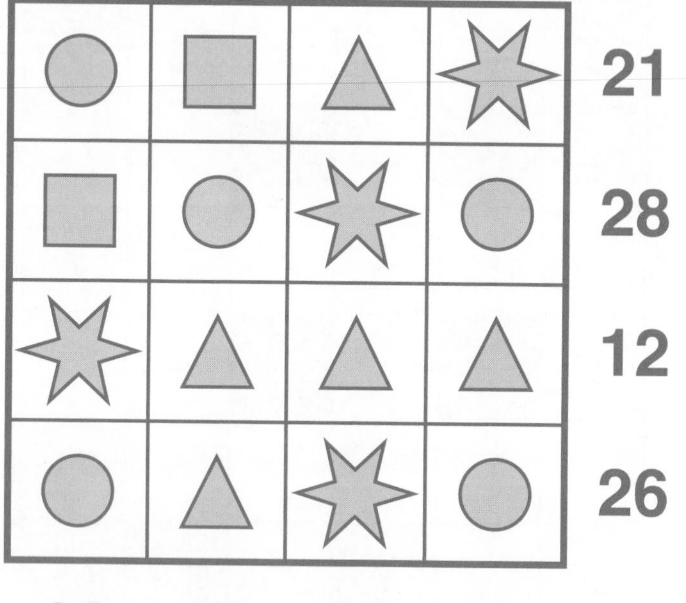

CODEWORD

	19		3		1		2		2		1	
11	3	16	7	3	7	17	11	15	21	2	5	8
	2		1		24		15		18		1	
14	1	3	11	13	15	9	22		18	17	6	1
			17		8		1		17		3	
19	21	7	25	23	1	20		1	26	17	14	2
	7				20		2				1	
25	15	3	2	14		9	1	25	5	21	2	1
	10		1		4		14		1			
9	1	1	20		21	9	19	3	7	17	12	1
	7		3		3		3		16		15	
25	1	9	14	17	18	17	25	3	14	17	15	7
	20		1		18		22		23		2	

A B C D E F G H I J K L M N O P Q R S T U V W X Y Z

1	2	3	4	5	6	7	8	9	10	11	12	13

14	15	16	17	18	19	20	21	22	23	24	25	26
				F				K			C	

BATTLESHIPS

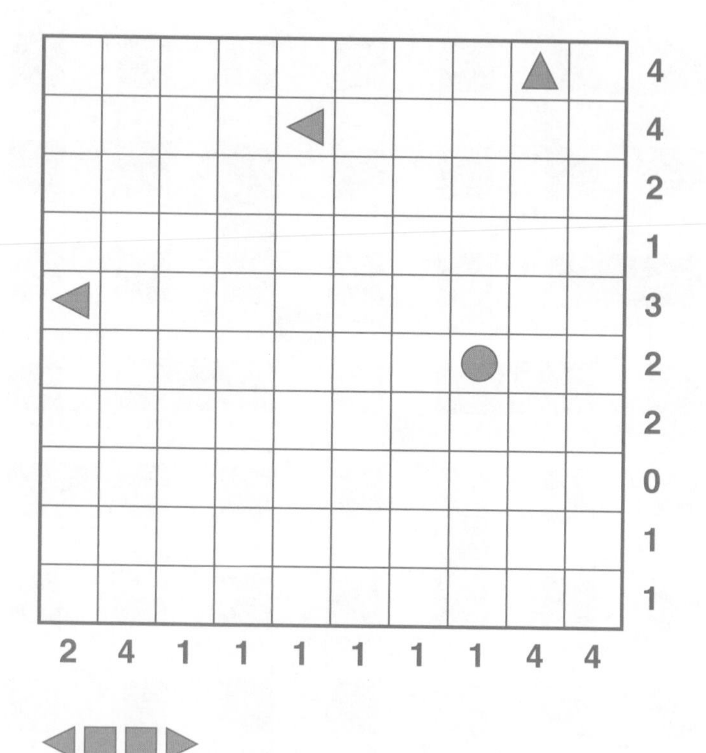

NUMBER TOWER

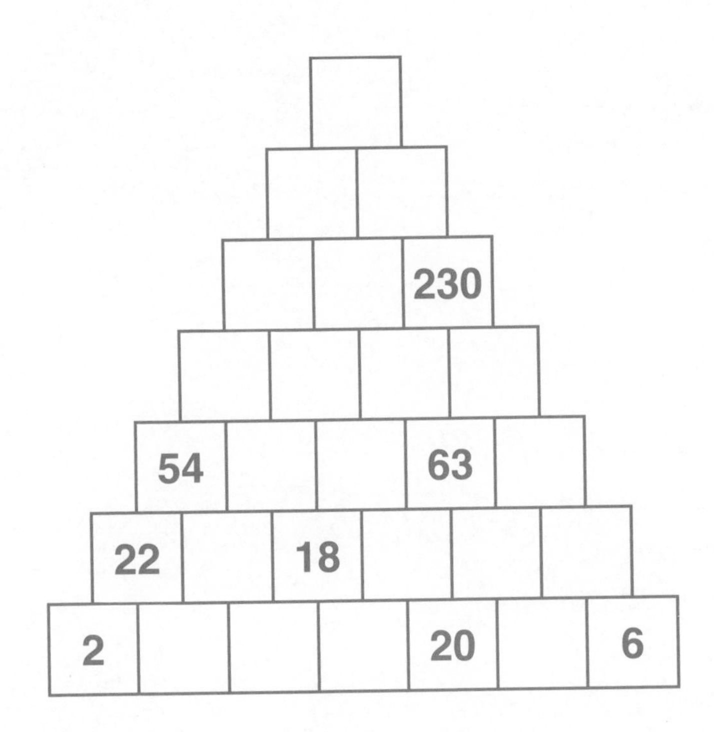

HEXAGONAL MAZE

FITWORD – FLOWERS

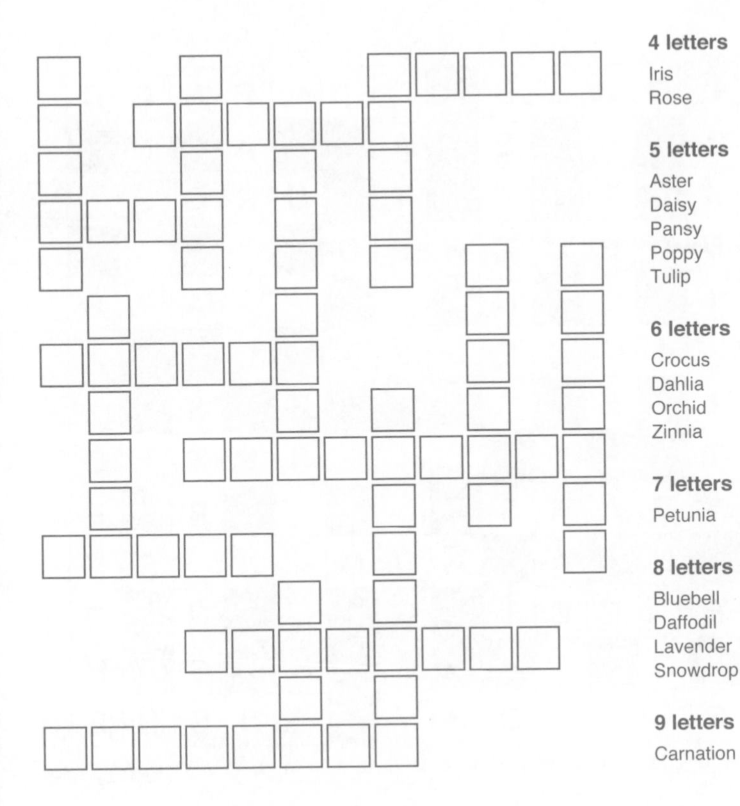

4 letters
Iris
Rose

5 letters
Aster
Daisy
Pansy
Poppy
Tulip

6 letters
Crocus
Dahlia
Orchid
Zinnia

7 letters
Petunia

8 letters
Bluebell
Daffodil
Lavender
Snowdrop

9 letters
Carnation

A–Z PUZZLE

L O O S I E N E D
I U E A A N
A T T U R G E
B U R D E N E D
I N A Y S
I H T E S T L A
I E B S
T T L I R E T O
Y E A R S I R P
N A A D M N S H
E E C T U N O
O C H G N
E E O R E N S U E
A B C D E F G H I J K L M N O P Q R S T U V W X Y Z

KILLER SUDOKU

12	17		17		15	9		
			10	3		15		
13	10	18				11	14	
				10			21	6
15		5		17				
13	9	9			17			11
			5		13			
5	16		7		17	14	14	
	5		12					

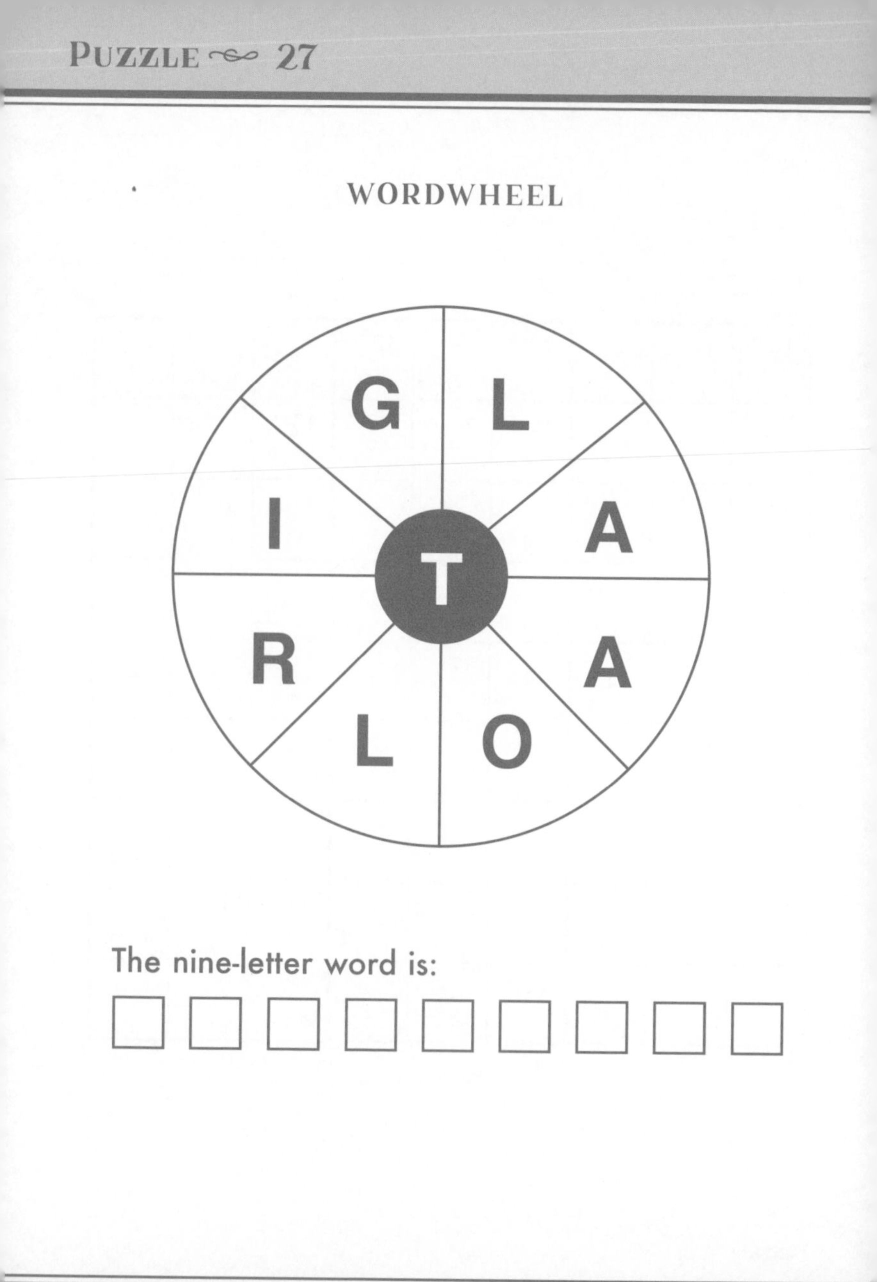
WORDWHEEL
G
L
I
A
T
R
A
L
O
The nine-letter word is:

JIGSAW SUDOKU

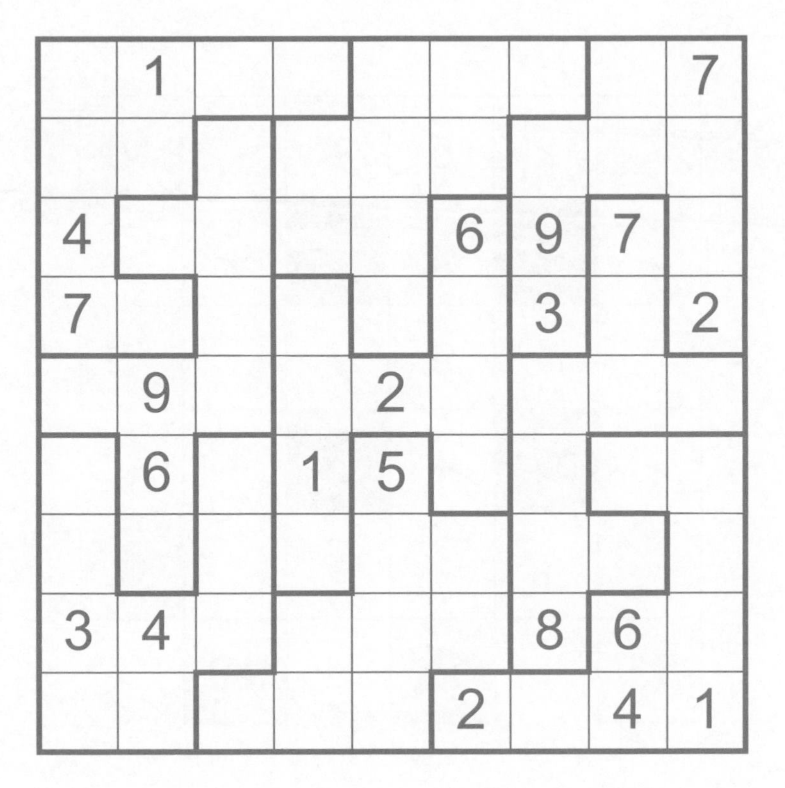

NUMBER SQUARE

	x	5	+		18
x		x		+	
	-	9	+		4
-		÷		+	
	+		-		0
11		15		19	

SYMBOLS OF VALUE

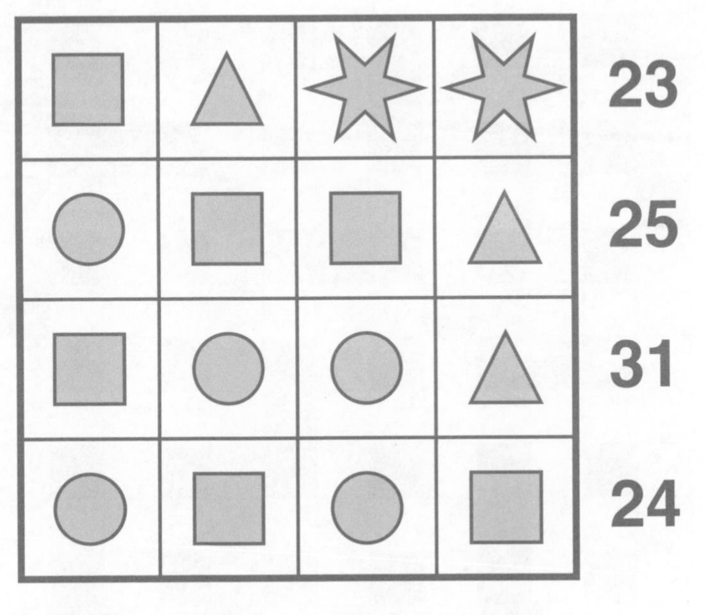

CODEWORD

11		4		8		1		6		8		7
20	24	9	22	11	18	9	12	24		11	18	23
11		16		14		4		23		4		25
7	24	12	12	15		8	11	13	9	7	11	20
15		24		19		12		17				23
	4	9	10	3	9	18	5		16	11	24	17
23		12		4				19		4		5
3	14	18	23		6	11	8	24	23	4	5	
8				19		16		12		12		11
5	11	5	26	9	21	9		9	18	4	12	18
9		4		22		11		22		3		11
2	23	23		26	11	8	7	26	4	9	14	22
12		25		8		12		8		11		12

A B C D E F G H I J K L M N O P Q R S T U V W X Y Z

1	2	3	4	5	6	7	8	9	10	11	12	13

14	15	16	17	18	19	20	21	22	23	24	25	26
							M	G		R		

BATTLESHIPS

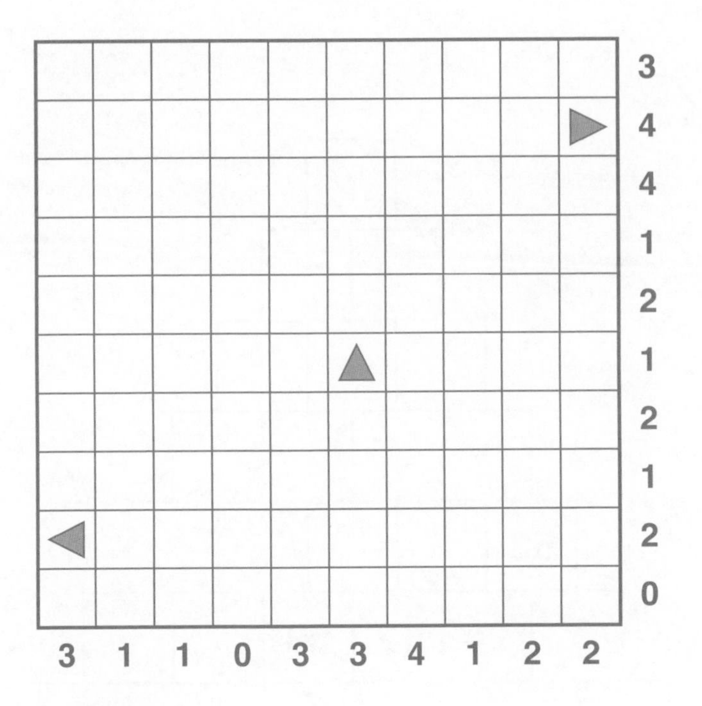

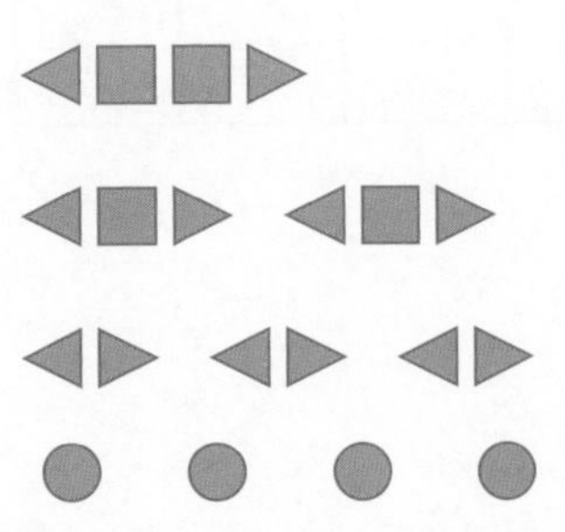

NUMBER TOWER

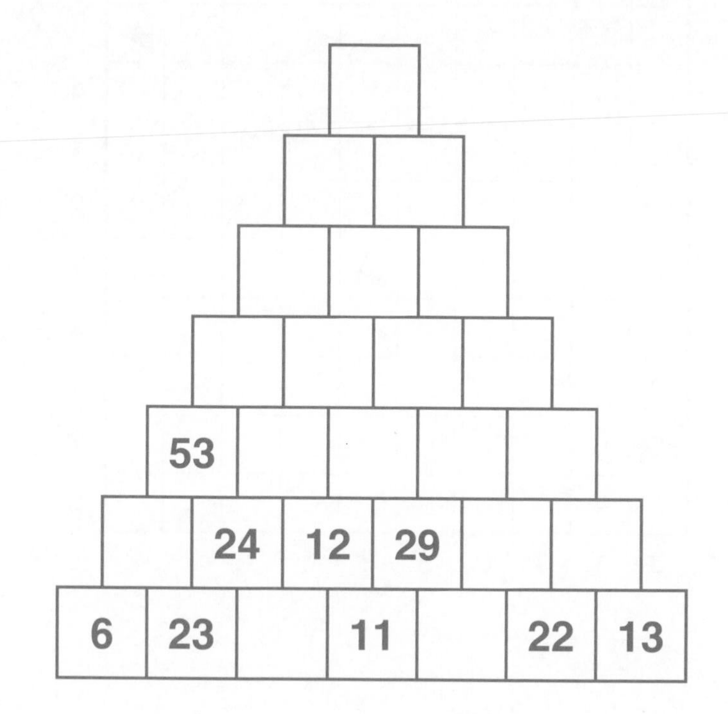

HEXAGONAL MAZE

FITWORD – FRUITS

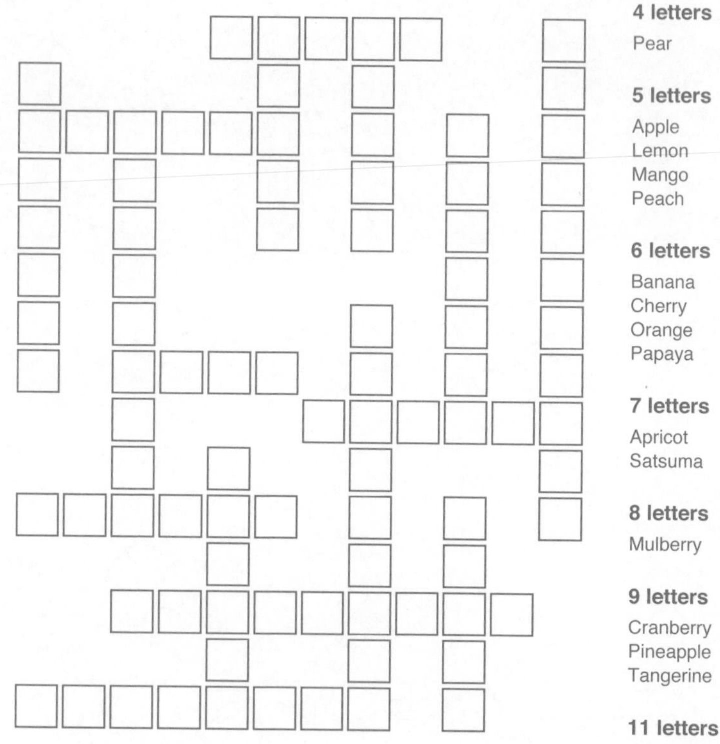

4 letters

Pear

5 letters

Apple
Lemon
Mango
Peach

6 letters

Banana
Cherry
Orange
Papaya

7 letters

Apricot
Satsuma

8 letters

Mulberry

9 letters

Cranberry
Pineapple
Tangerine

11 letters

Pomegranate

A–Z PUZZLE

A C T L S
P L H O U S E P H I
A L R A U
C H A R E S U D O S
E M A A
M A C A U E E
S R E S
I O S P R E Y S
B E L O B
J U J I T S U E
E U H M E A R
C O D E P O S U R E S
T O R S S E
A B C D E F G H I J K L M N O P Q R S T U V W X Y Z

KILLER SUDOKU

12			17	6	9	6	17	22
15	9							
	17			7				
	8		7	22			9	
17	10			15		16	10	
	13	14						4
		13			13		24	
7		9	11		5			7
10			15			9		

WORDWHEEL

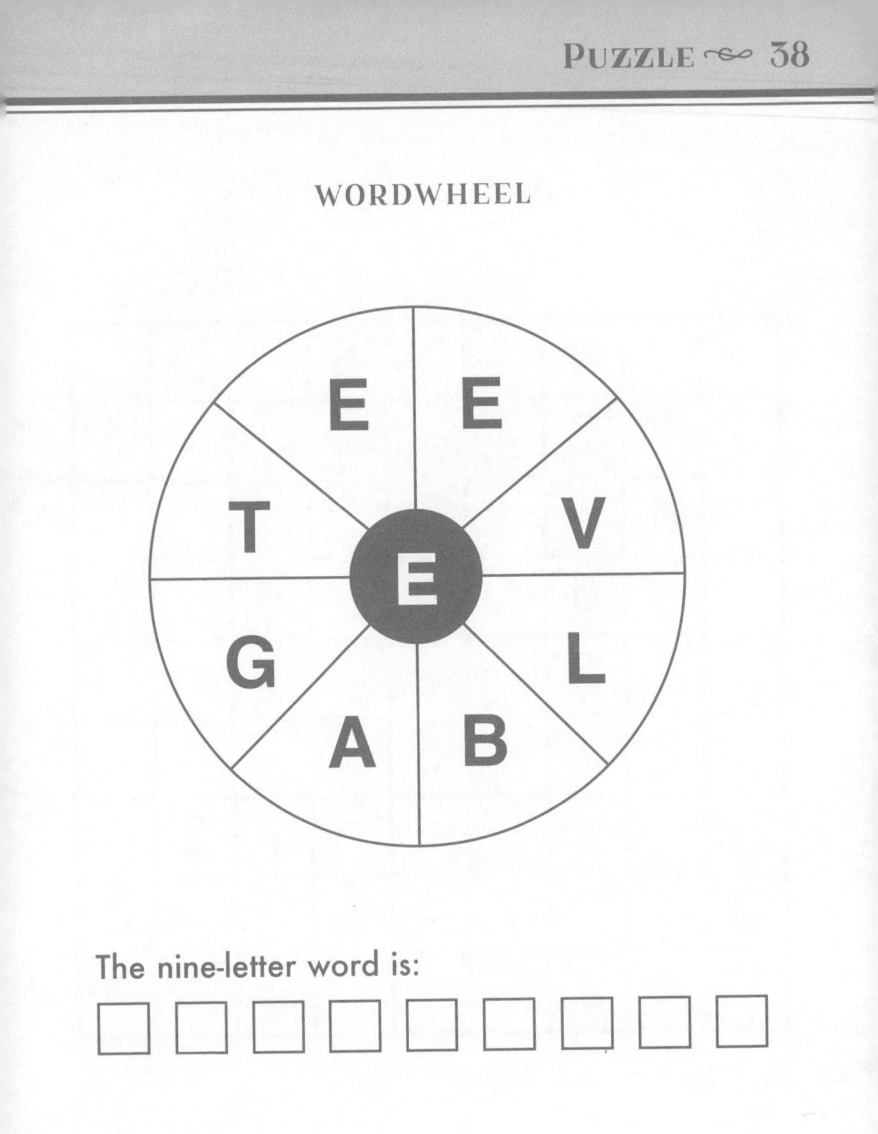

The nine-letter word is:

JIGSAW SUDOKU

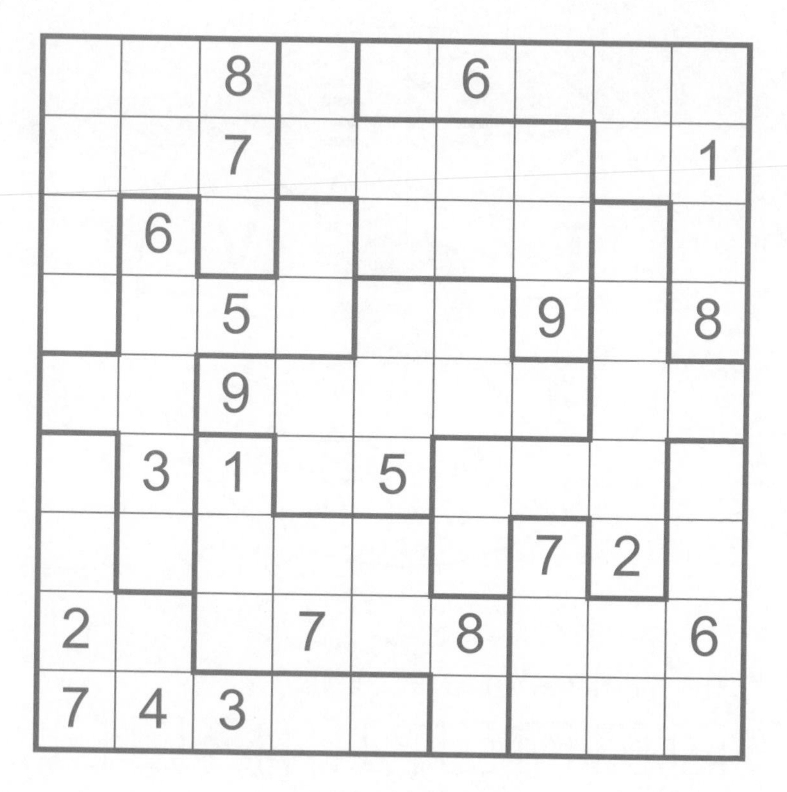

NUMBER SQUARE

	-		x		-12
x		-		+	
	x		x	9	45
x		x		x	
	÷	4	x		14
80		20		84	

SYMBOLS OF VALUE

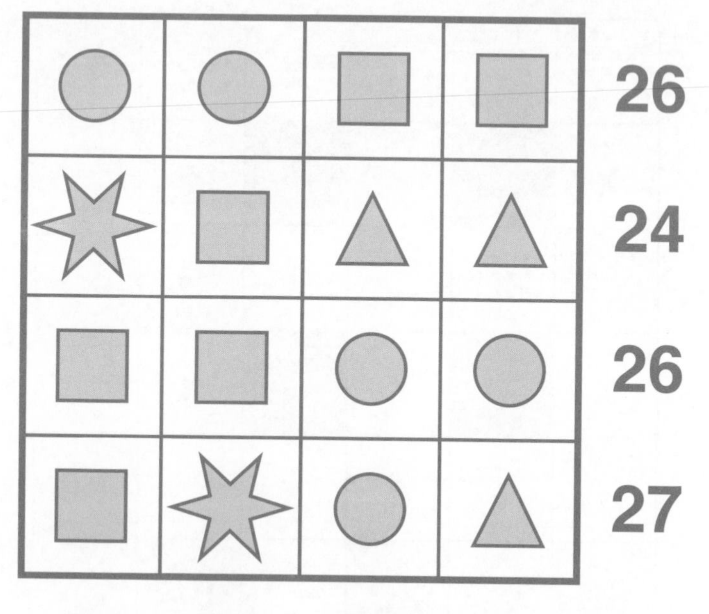

CODEWORD

19	4	6	24		9	4	22	20	16	23	21	2
21		9		21		12		14		12		20
20	21	4	7	20	21	7		11	10	18	8	6
23		10		8		11		8		23		4
15	23	13		10		21		22	20	10	23	2
15				22	23	1	3	4		13		23
11		7		8				18		7		21
19		24		13	4	11	26	20				19
4	2	8	13	23		10		10		4	7	24
6		10		21		5		6		16		23
8	10	1	8	4		11	19	18	8	16	6	7
23		8		6		7		25		8		8
10	20	13	18	20	15	6	7		4	17	20	7

A B C D E F G H I J K L M N O P Q R S T U V W X Y Z

1	2	3	4	5	6	7	8	9	10	11	12	13
							I					

14	15	16	17	18	19	20	21	22	23	24	25	26
Q								V				

BATTLESHIPS

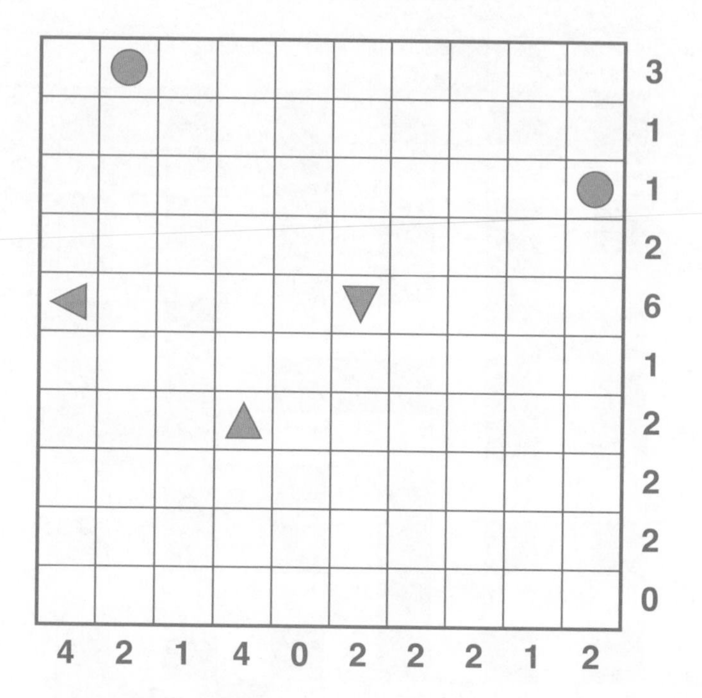

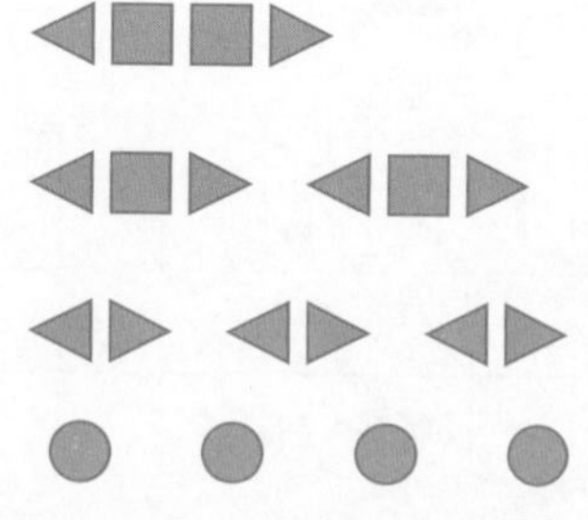

NUMBER TOWER

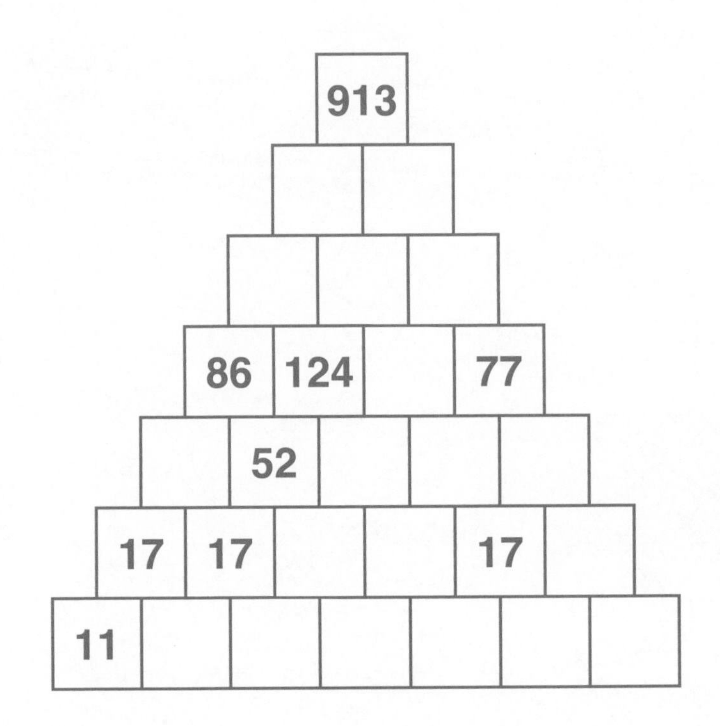

HEXAGONAL MAZE

FITWORD – JOBS

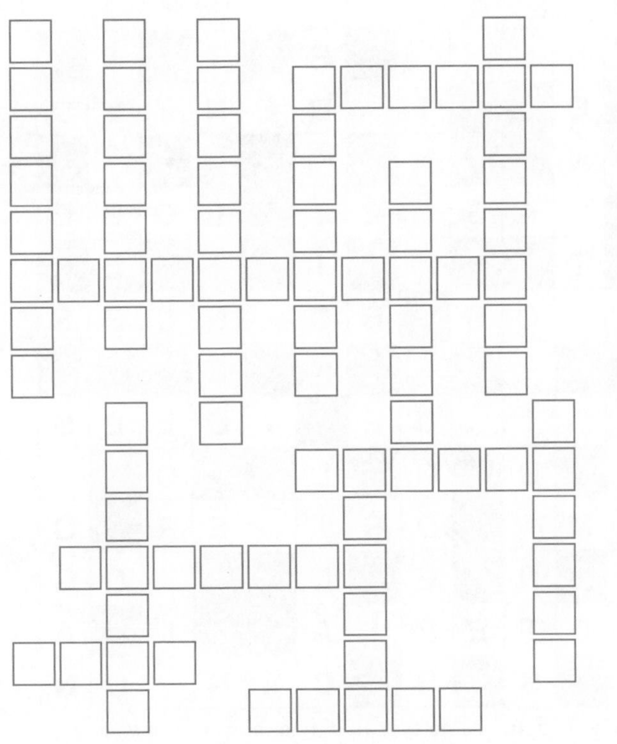

4 letters
Chef

5 letters
Actor

6 letters
Artist
Dancer
Farmer
Priest

7 letters
Builder
Cleaner
Dentist
Florist
Painter

8 letters
Designer
Engineer

9 letters
Scientist

11 letters
Electrician

A–Z PUZZLE

KILLER SUDOKU

11	10		12	8		12		
	15			14		16		
9				11		17		6
13		14			8	17		
11	5	13	16				18	13
				18	17			
11		11					13	
11			5		5			13
	12		14		6			

WORDWHEEL

The nine-letter word is:

JIGSAW SUDOKU

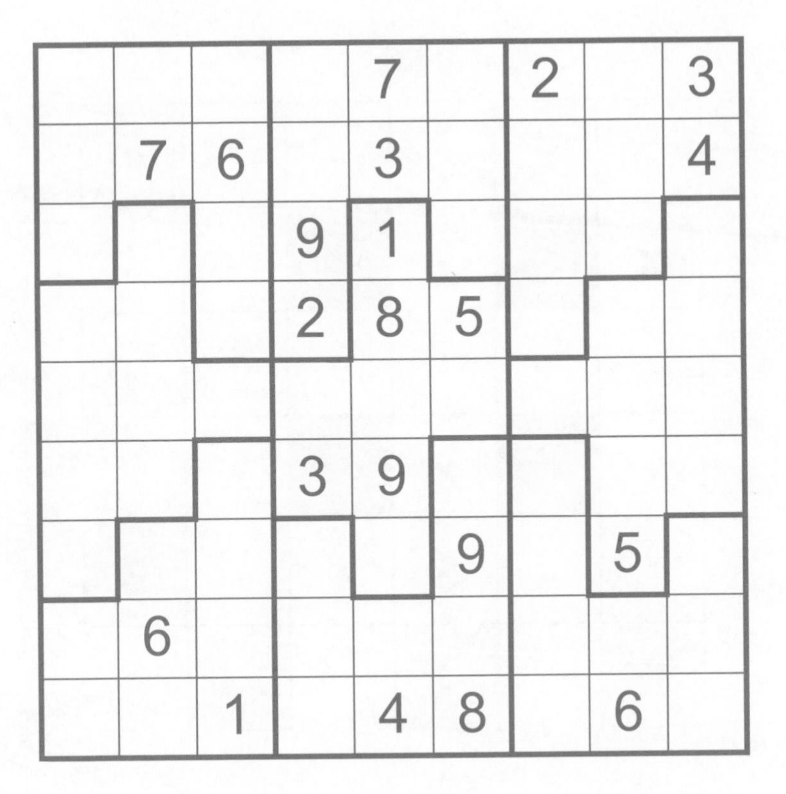

NUMBER SQUARE

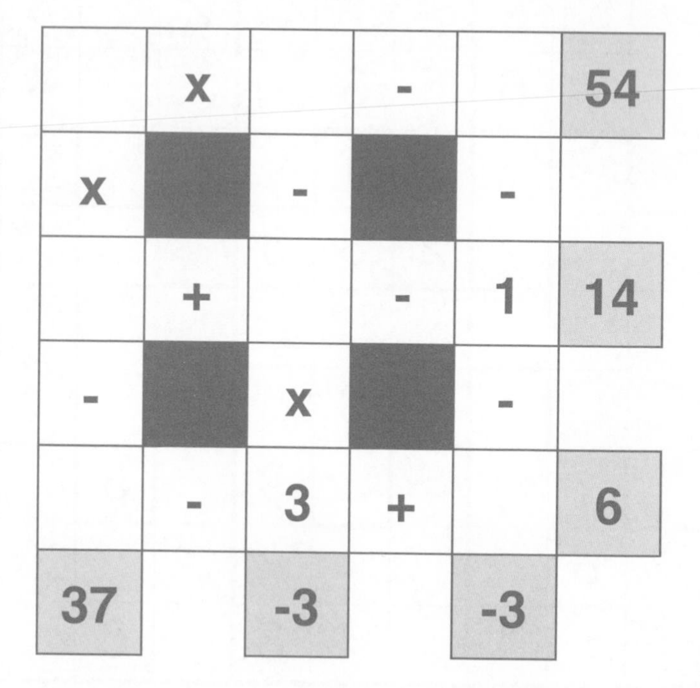

SYMBOLS OF VALUE

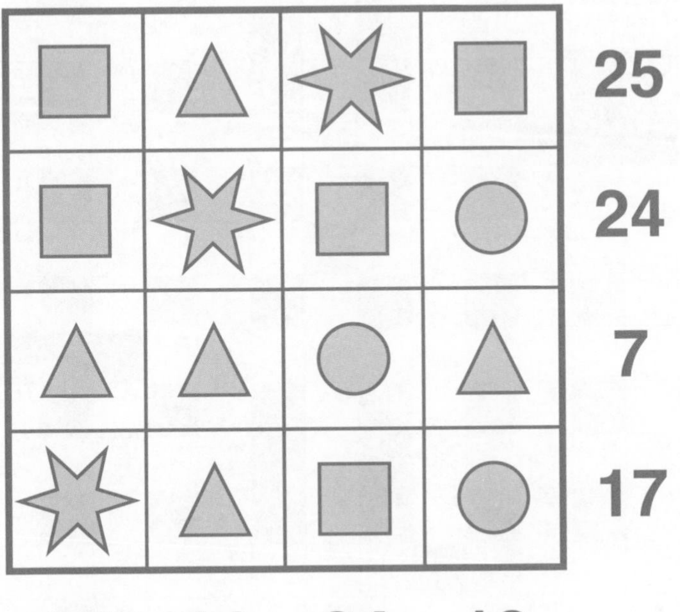

CODEWORD

5	9	24	16	7	2	24	9		10	16	11	23
19		19		6		16		11		8		20
7	6	17	11	14		19		6	11	9	12	9
2		9		16		14		21		10		16
			6	9	10	8	9	16	22	23	25	10
25		10		26		25		9		16		11
10	9	19	12	7	14		25	4	7	11	16	22
16		18		2		5		7		12		9
19	22	14	3	11	10	7	2	9	25			
14		19		12		16		6		15		11
14	19	13	9	9		9		10	23	11	3	25
9		9		2		19		3		1		3
2	11	16	9		4	7	19	13	25	11	2	9

A B C D E F G H I J K L M N O P Q R S T U V W X Y Z

1	2	3	4	5	6	7	8	9	10	11	12	13
		L										

14	15	16	17	18	19	20	21	22	23	24	25	26
				X	A							

BATTLESHIPS

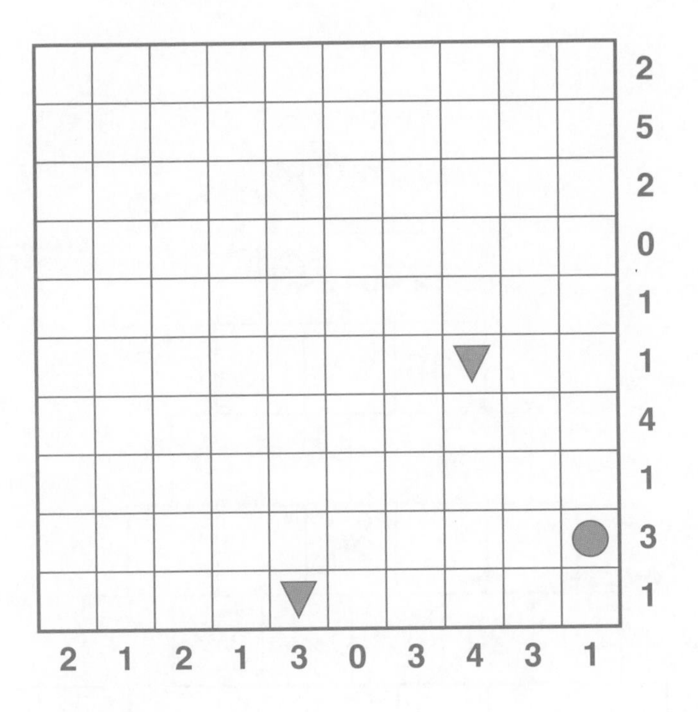

NUMBER TOWER

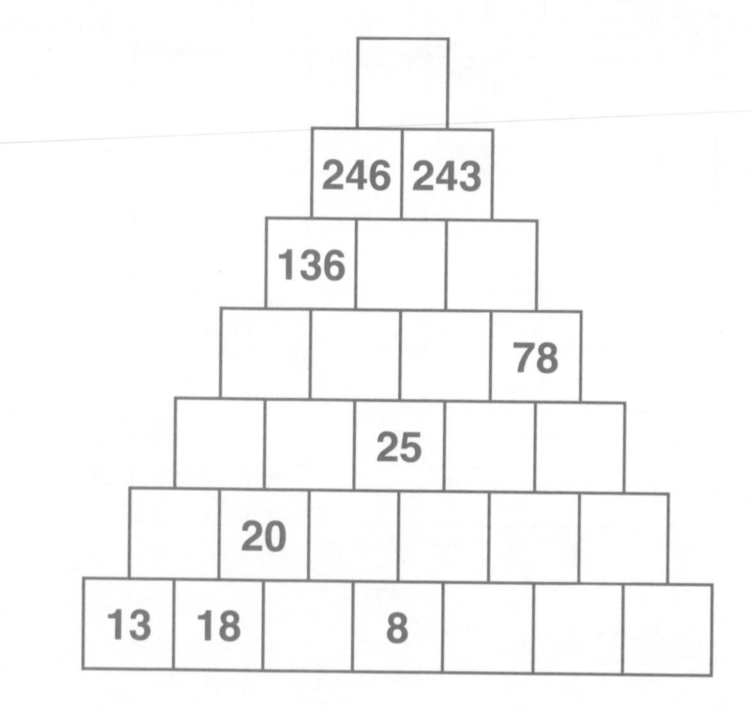

HEXAGONAL MAZE

FITWORD – TOOLS

3 letters

Saw

5 letters

Brush
Clamp
Drill
Knife
Rivet
Ruler
Spade

6 letters

Chisel
Jigsaw
Pliers
Shears
Shovel

7 letters

Crowbar
Scalpel
Scraper
Stapler

8 letters

Clippers
Scissors

A–Z PUZZLE

E S I I N G U S E S
U U E E
A N I C E R U R E
P K R L
E M N L A R G E
L O N E Y T
I E O
H N E I S I O N
E A C T E D
L I T C
E V I D E N H A I K U
L O A T
S A S T R A N S E C T
A B C D E F G H I J K L M N O P Q R S T U V W X Y Z

KILLER SUDOKU

6		15	17	13		11		3
15	4			15		11		
		7				22	13	10
14		11	15					
9					6		19	
	13	5		14	16	5		
16		17	17			7		21
					13	8	9	
	8							

PUZZLE 60
WORDWHEEL
I
T
L
D
E
E
D
G
H
The nine-letter word is:

JIGSAW SUDOKU

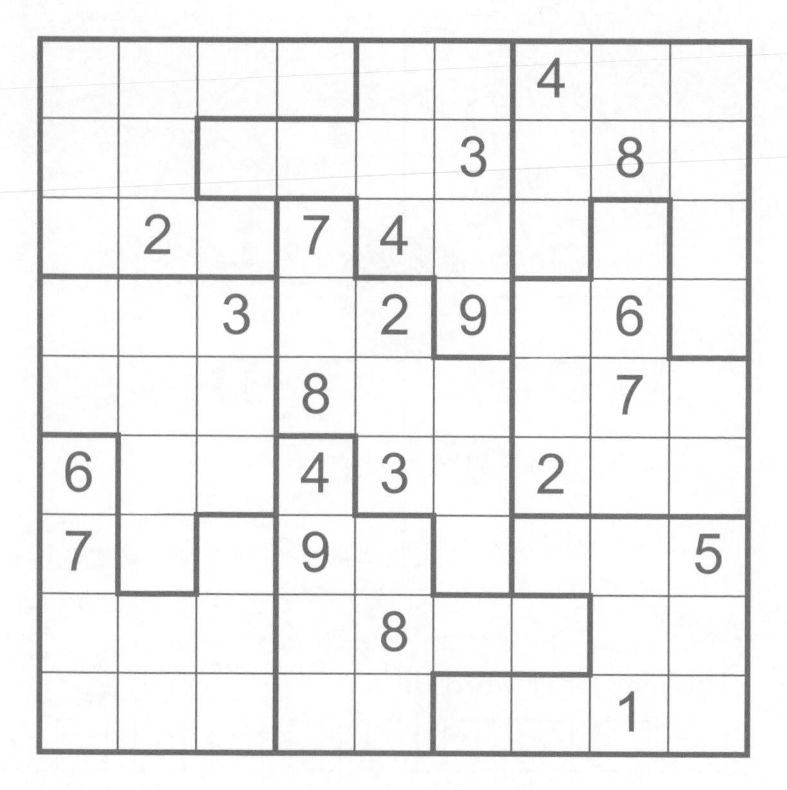

NUMBER SQUARE

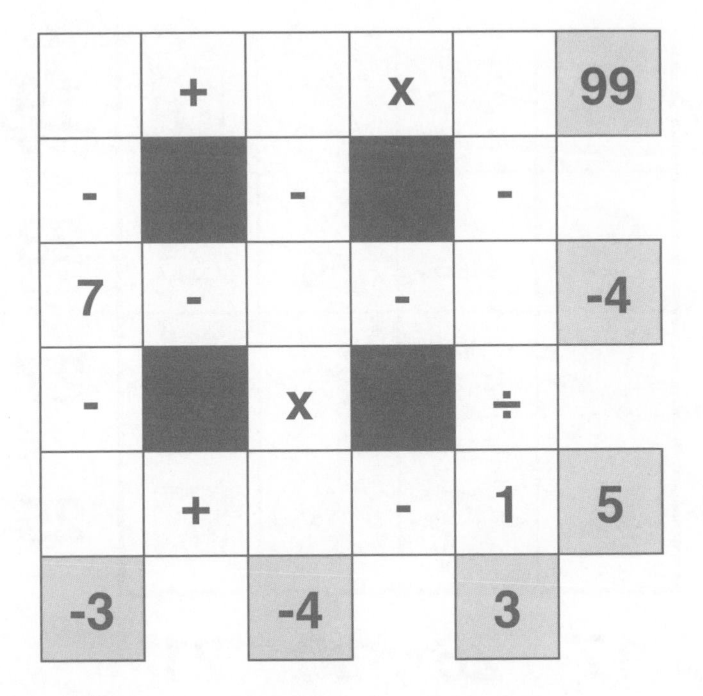

SYMBOLS OF VALUE

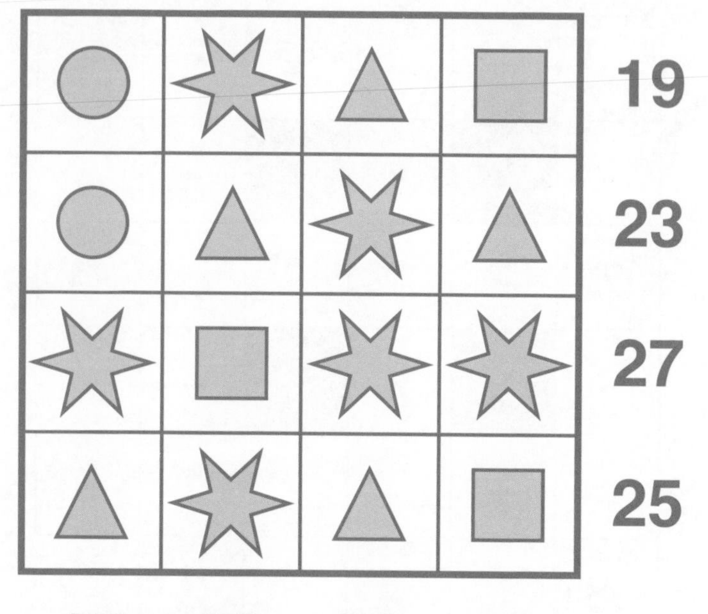

17 26 30 21

CODEWORD

26	9	3	20	■	7	10	21	9	25	16	2	20
13	■	9	■	10	■	19	■	10	■	21	■	23
21	19	1	15	13	25	20	■	8	23	20	2	12
12	■	21	■	7	■	21	■	23	■	9	■	20
1	14	4	■	25	■	5	■	13	2	3	20	21
26	■	■	■	13	17	16	13	6	■	12	■	12
1	■	11	■	22	■	■	■	2	■	19	■	9
10	■	13	■	13	16	20	7	20	■	■	■	1
9	5	21	9	2	■	18	■	3	■	19	20	23
12	■	1	■	1	■	20	■	11	■	9	■	25
1	23	2	20	12	■	10	21	20	14	1	10	20
13	■	2	■	9	■	12	■	3	■	8	■	23
23	20	9	21	23	20	7	7	■	24	5	1	12

A B C D E F G H I J K L M N O P Q R S T U V W X Y Z

1	2	3	4	5	6	7	8	9	10	11	12	13
			Y				K					

14	15	16	17	18	19	20	21	22	23	24	25	26
	Z											

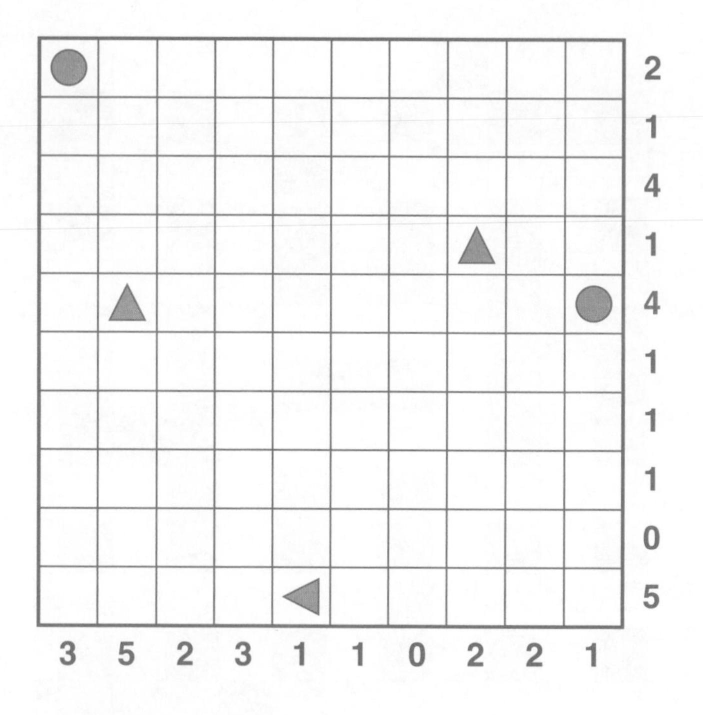

NUMBER TOWER

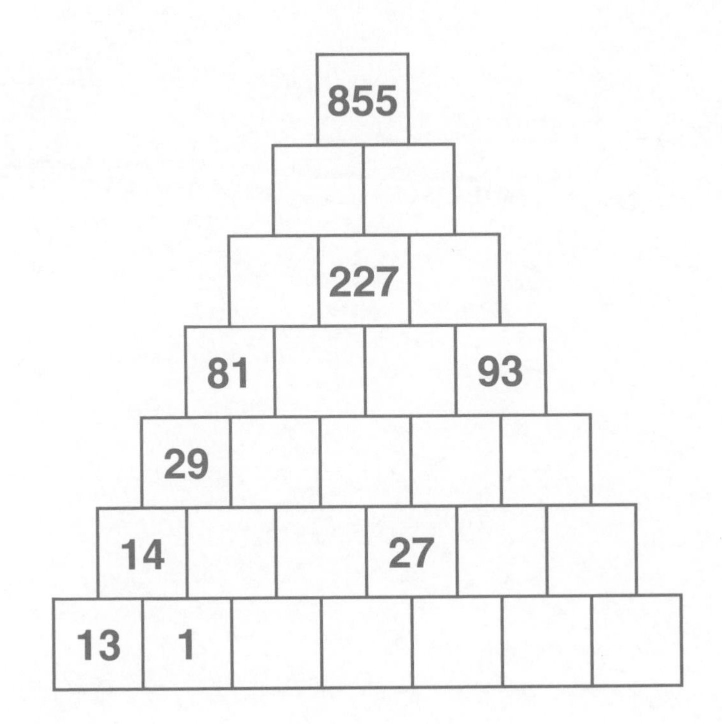

HEXAGONAL MAZE

FITWORD – US STATES

4 letters
Iowa
Ohio

5 letters
Idaho
Maine
Texas

6 letters
Hawaii
Kansas
Oregon

7 letters
Alabama
Florida
Georgia
Indiana

8 letters
Colorado
Delaware
Michigan
Nebraska

A–Z PUZZLE

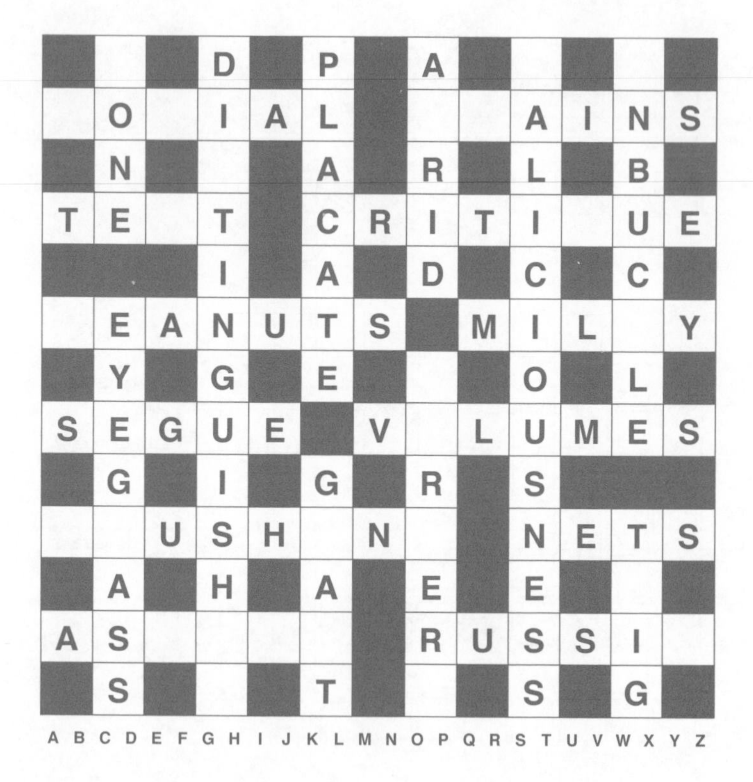

KILLER SUDOKU

15		12	18		5		21	7
11					8			
7		3		14		17		17
8	12	15	16	7				
				4			15	
16	14		13	10		12	8	7
					28			
4		11		9			14	8
	19							

WORDWHEEL
V
A
V
C
I
E
O
T
E
The nine-letter word is:

JIGSAW SUDOKU

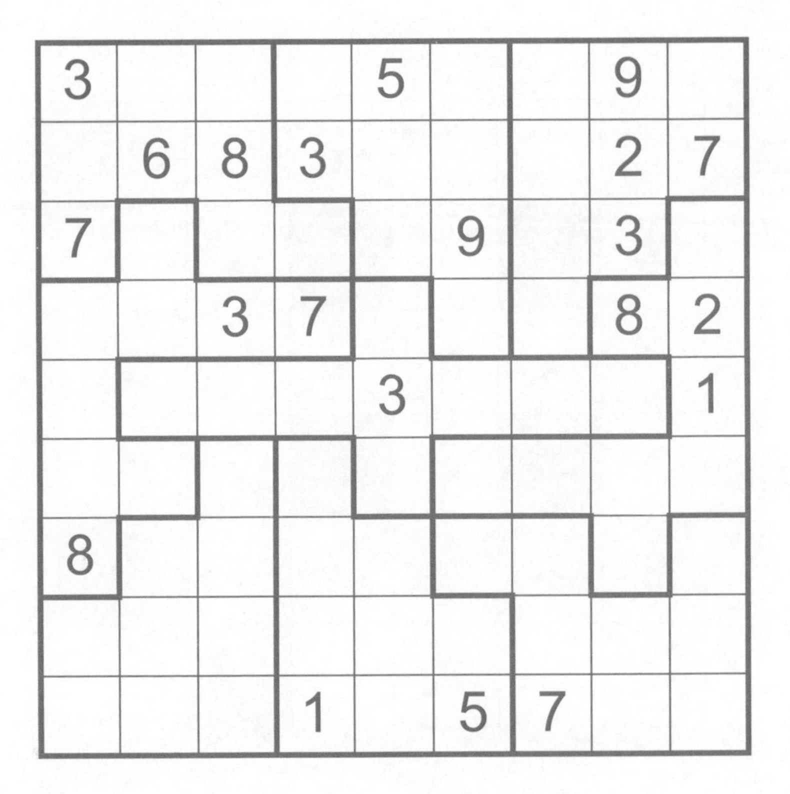

NUMBER SQUARE

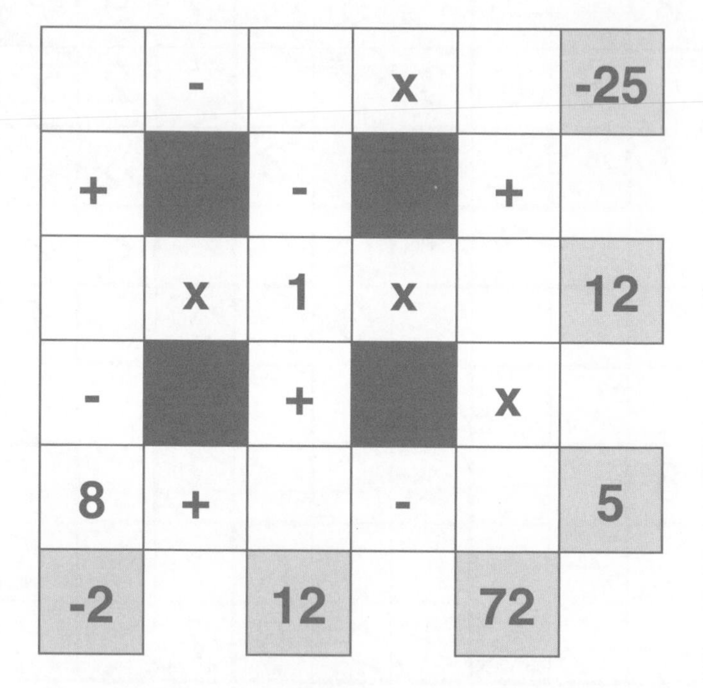

	-		x		-25
+		-		+	
	x	1	x		12
-		+		x	
8	+		-		5
-2		12		72	

SYMBOLS OF VALUE

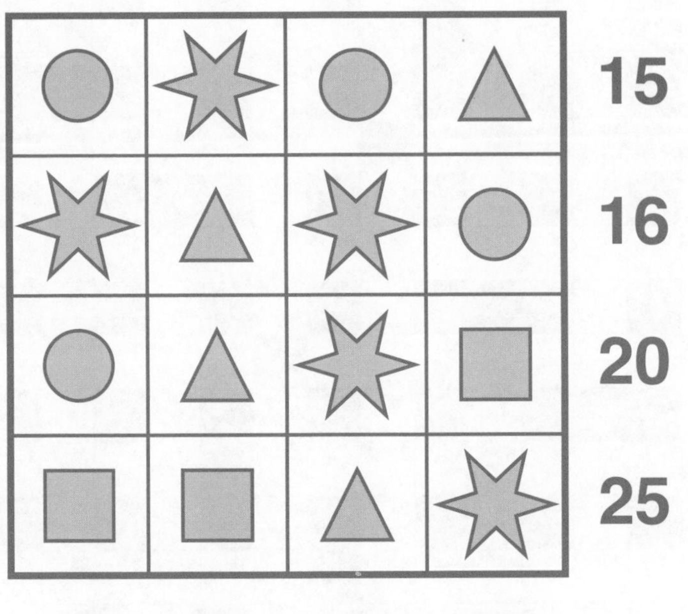

CODEWORD

22	19	9	2	19	1		4	14	25	25	3	12
	26		3		3		14		14		24	
16	12	3	14		8	14	2	12	2	9	24	3
	3		25		23		16		20			
14	10	10	16	18		14	23	21	14	26	7	3
	16		6		23		11				25	
16	26	17	3	2	15	9	25	14	17	16	9	26
	3				9		13		2		23	
14	12	5	19	23	17	23		10	14	17	3	12
			26		25		19		7		26	
4	25	14	6	16	3	2	23		21	3	3	15
	3		16		23		3		3		23	
17	3	1	15	17	23		12	19	2	3	23	23

A B C D E F G H I J K L M N O P Q R S T U V W X Y Z

1	2	3	4	5	6	7	8	9	10	11	12	13
		E						O	F			

14	15	16	17	18	19	20	21	22	23	24	25	26

BATTLESHIPS

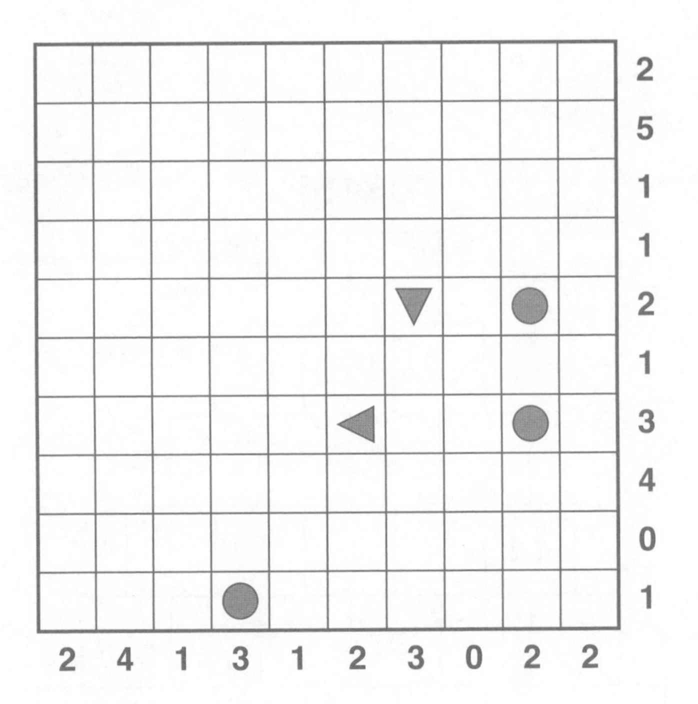

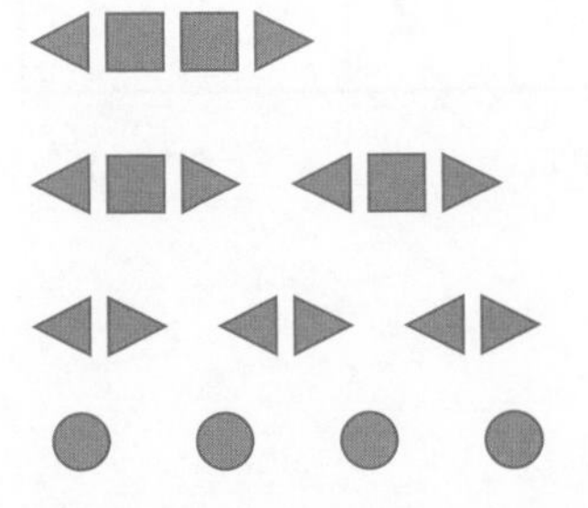

NUMBER TOWER

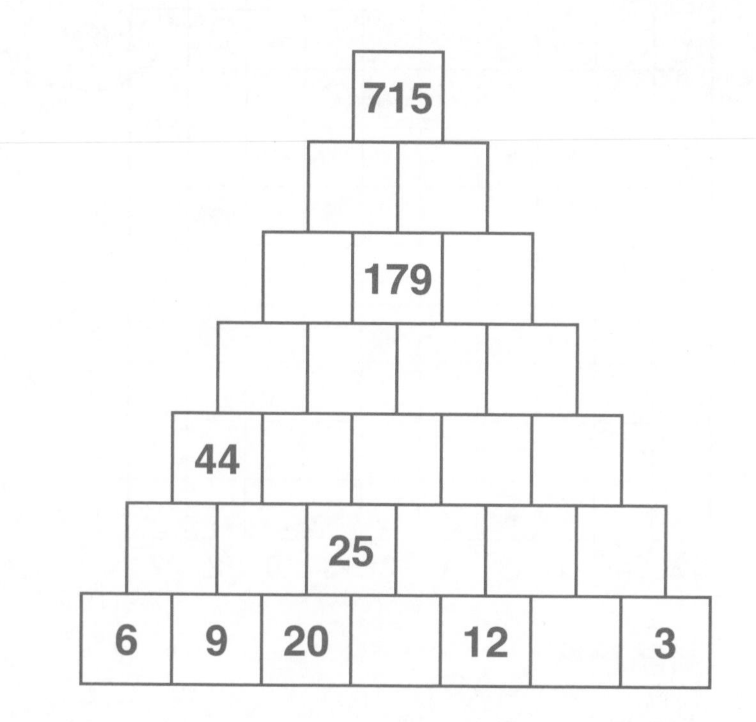

HEXAGONAL MAZE

FITWORD – CAPITAL CITIES

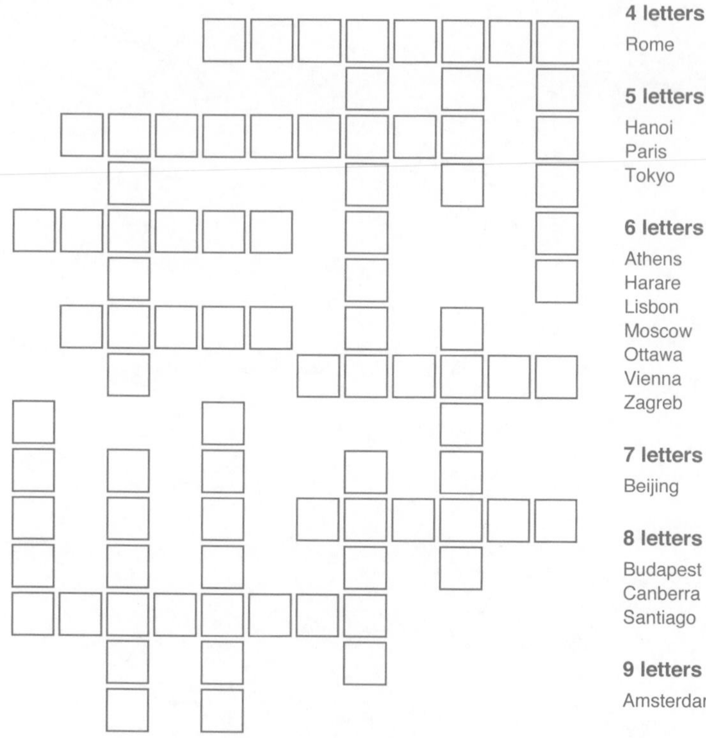

4 letters
Rome

5 letters
Hanoi
Paris
Tokyo

6 letters
Athens
Harare
Lisbon
Moscow
Ottawa
Vienna
Zagreb

7 letters
Beijing

8 letters
Budapest
Canberra
Santiago

9 letters
Amsterdam

A–Z PUZZLE

C L N E U A T O R
E C A W O
L H T C A Z Y
E P I D E I C E
E W S R E A D
R E E A N E
I E Y O S A
I O E R A T O
Y A N S E A O N
B O N C E R T I
D O D S P L N
R L E G
S T U M B L E S I G
A B C D E F G H I J K L M N O P Q R S T U V W X Y Z

KILLER SUDOKU

15			8		7	18	15	9
17		9	15					
12			9	11	11			12
	18					15	14	
			14					7
13	23		7		14			
	18		14			11		
9				13	14		6	
		4				23		

WORDWHEEL

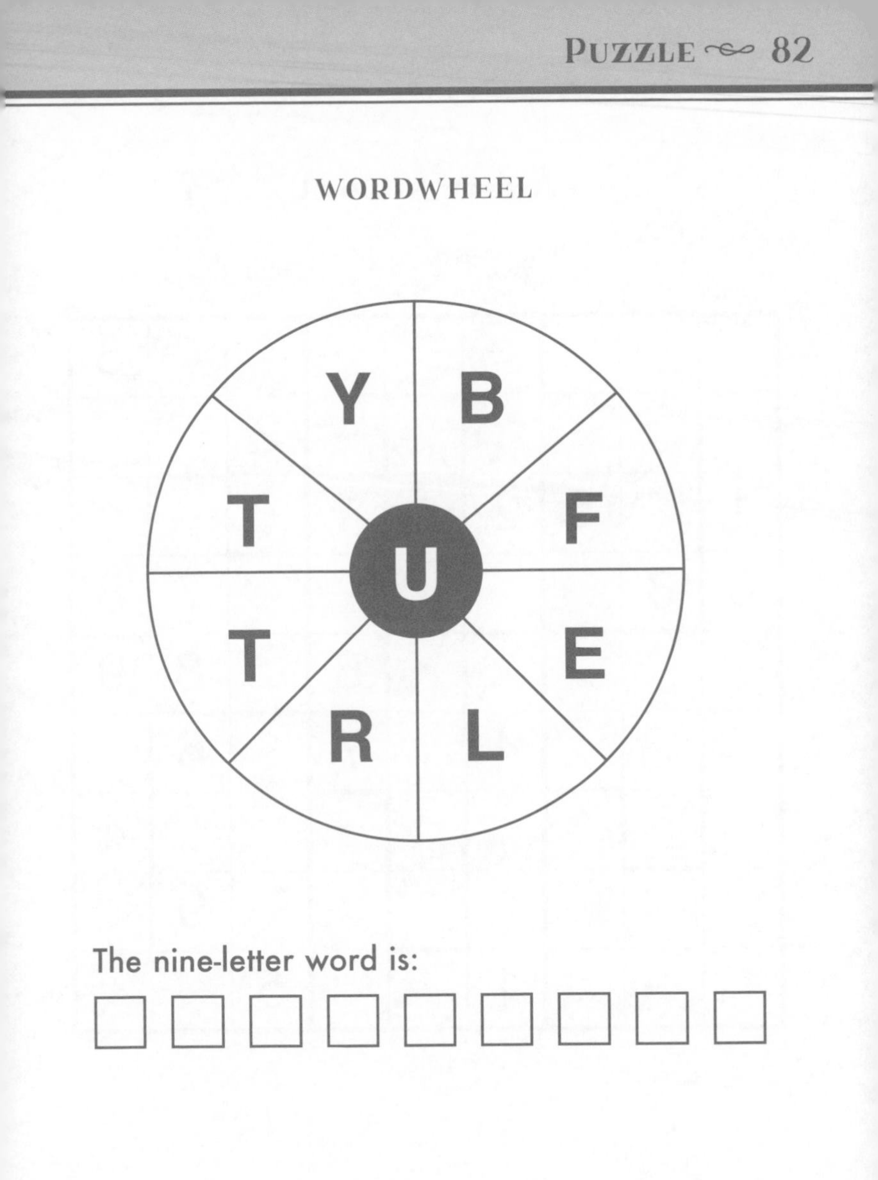

The nine-letter word is:

JIGSAW SUDOKU

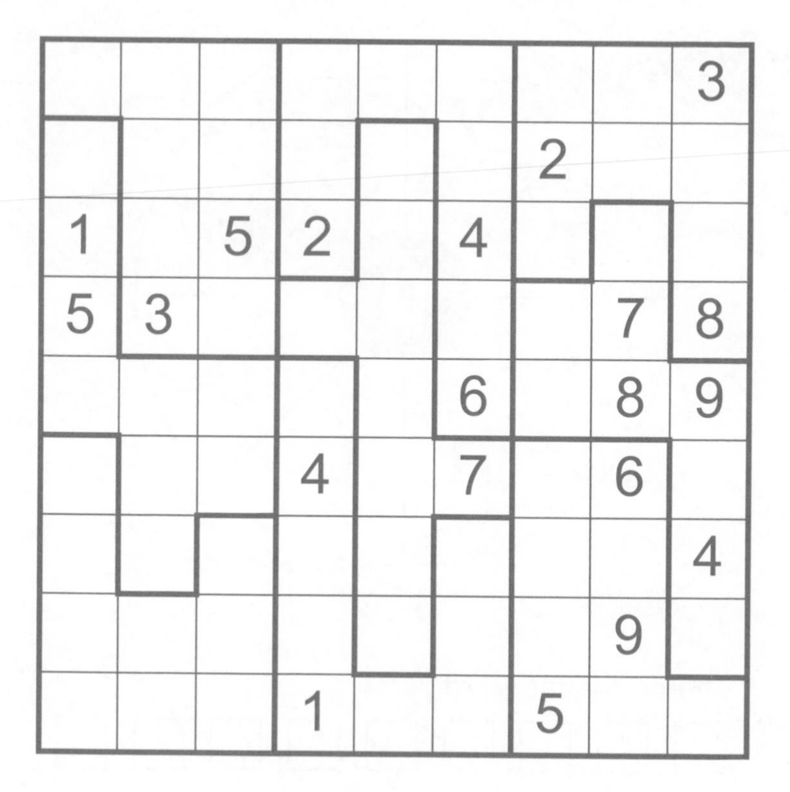

NUMBER SQUARE

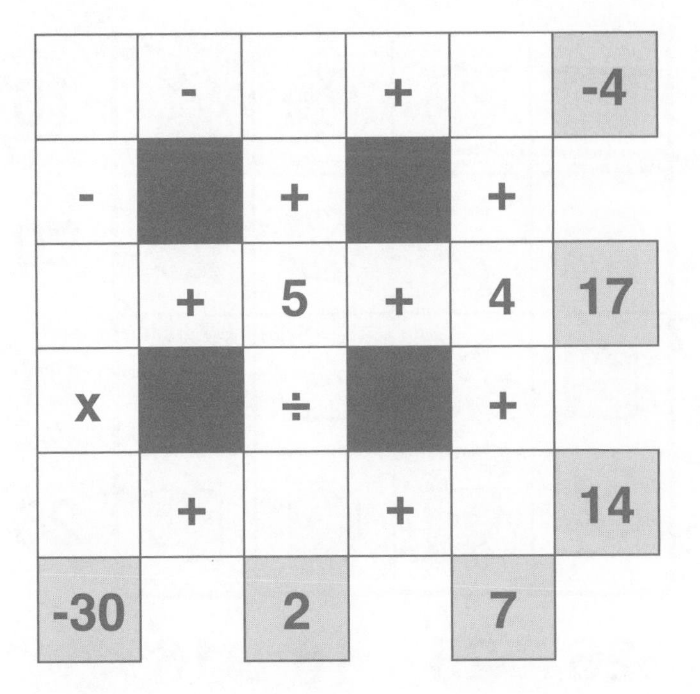

SYMBOLS OF VALUE

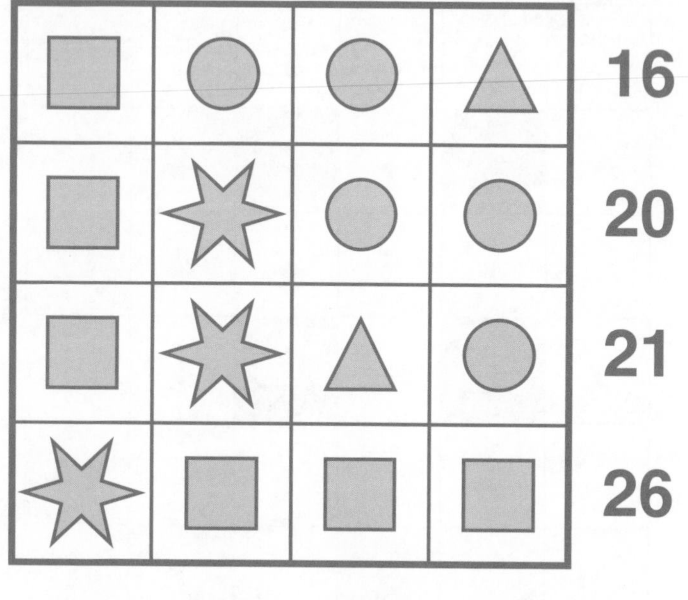

CODEWORD

12	13	9	13	24	9			14		1	19	5
	7			2		19	4	11	17	13		13
19	1	1	16	19	6	12		19		21		16
	19			24		11		16	13	14	19	16
19	23	5	8	25	13	21	13			11		11
	12			3		23		25		16		8
3	24	16	19	23	12		25	19	21	19	24	24
23		3		14		18		5			8	
12		20			11	6	9	24	3	12	13	21
6	24	6	21	1		12		9			13	
22		13		11		14	21	19	17	3	9	5
13		26	21	11	15	13		22			13	
24	10	5		16			24	10	3	3	23	14

A B C D E F G H I J K L M N O P Q R S T U V W X Y Z

1	2	3	4	5	6	7	8	9	10	11	12	13
	M		B									

14	15	16	17	18	19	20	21	22	23	24	25	26
						Q						

BATTLESHIPS

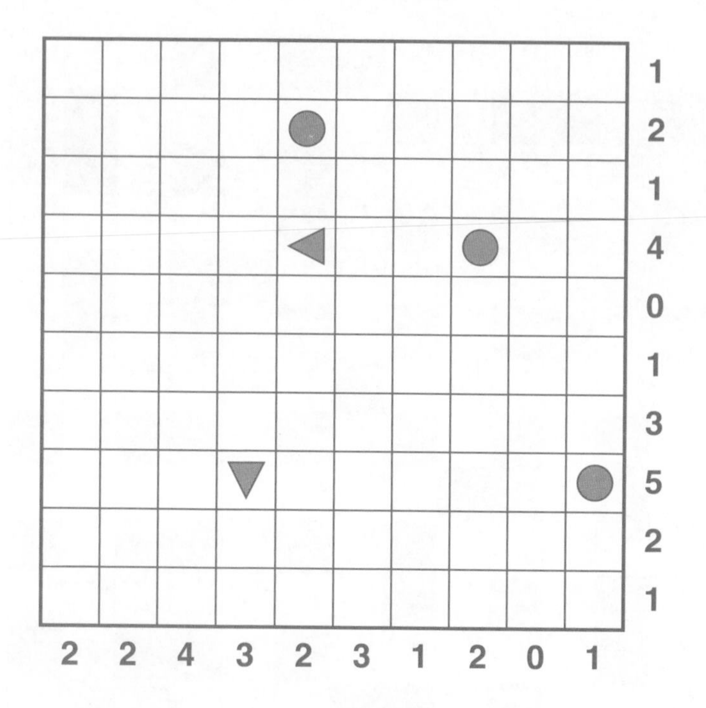
1
2
1
4
0
1
3
5
2
1
2 2 4 3 2 3 1 2 0 1

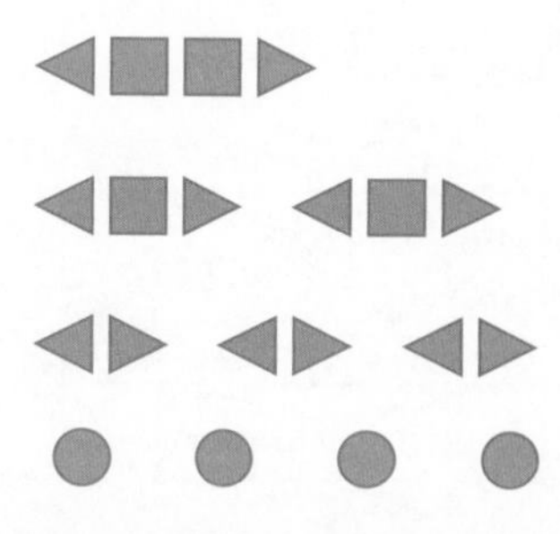

NUMBER TOWER

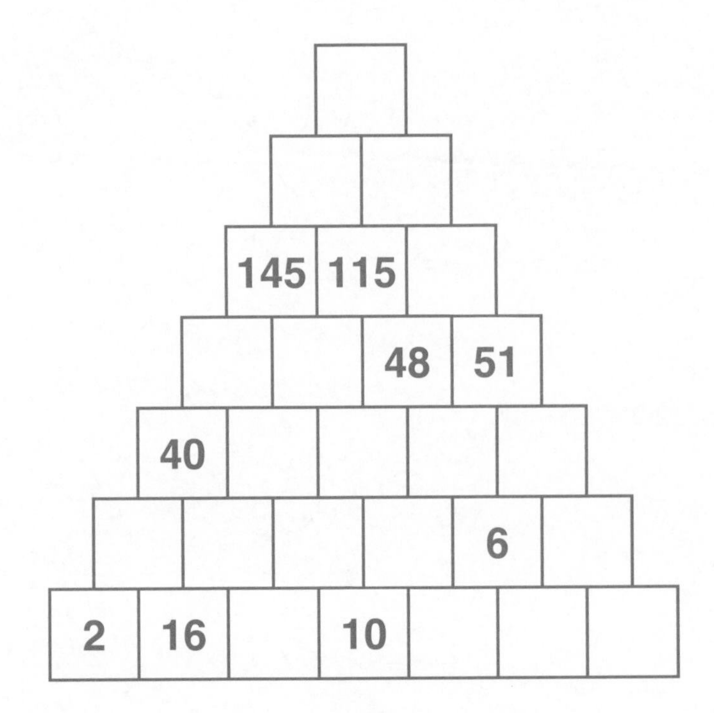

HEXAGONAL MAZE

FITWORD – COLORS

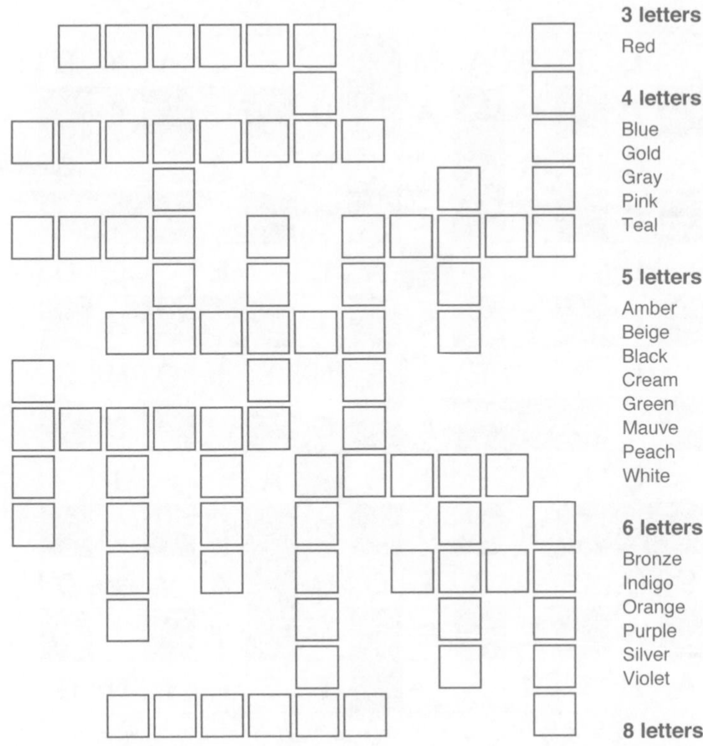

3 letters

Red

4 letters

Blue
Gold
Gray
Pink
Teal

5 letters

Amber
Beige
Black
Cream
Green
Mauve
Peach
White

6 letters

Bronze
Indigo
Orange
Purple
Silver
Violet

8 letters

Burgundy

A–Z PUZZLE

E T S A M E L A Y S
L P A U E
O O R M B A E
Q A E P
U S A L E E D
E E S I R
N P E E N T I O U S
A G D
E L M E T S A F I
A U B L T
C O C A T O O A V I D
W E E L T
A L A R T E E I N G
A B C D E F G H I J K L M N O P Q R S T U V W X Y Z

KILLER SUDOKU

7		16	7		17	6	17	
11	12						13	
		15	18	18	11			5
					16	9		
16						17	4	
17	6		8				14	12
	19			8		16		
	14		8				10	
12			20				6	

WORDWHEEL

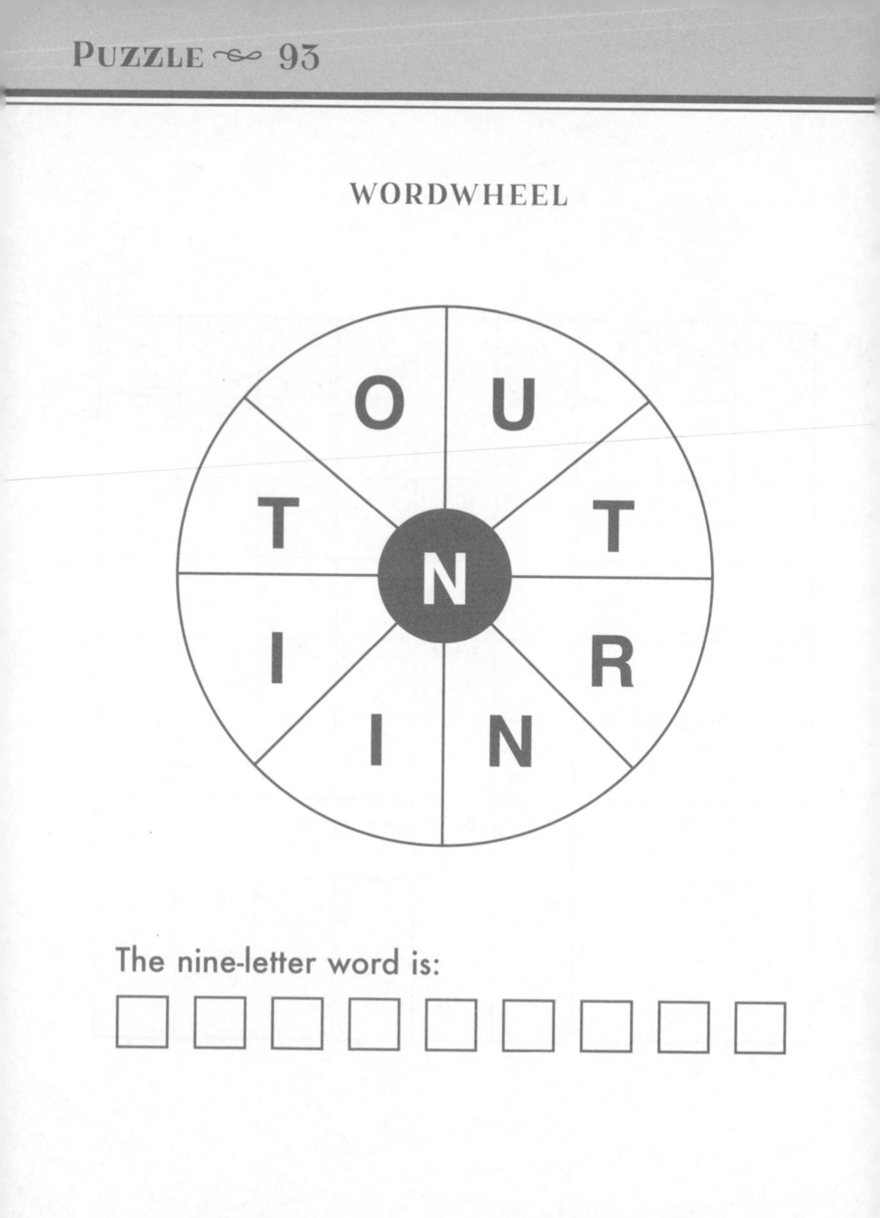

The nine-letter word is:

JIGSAW SUDOKU

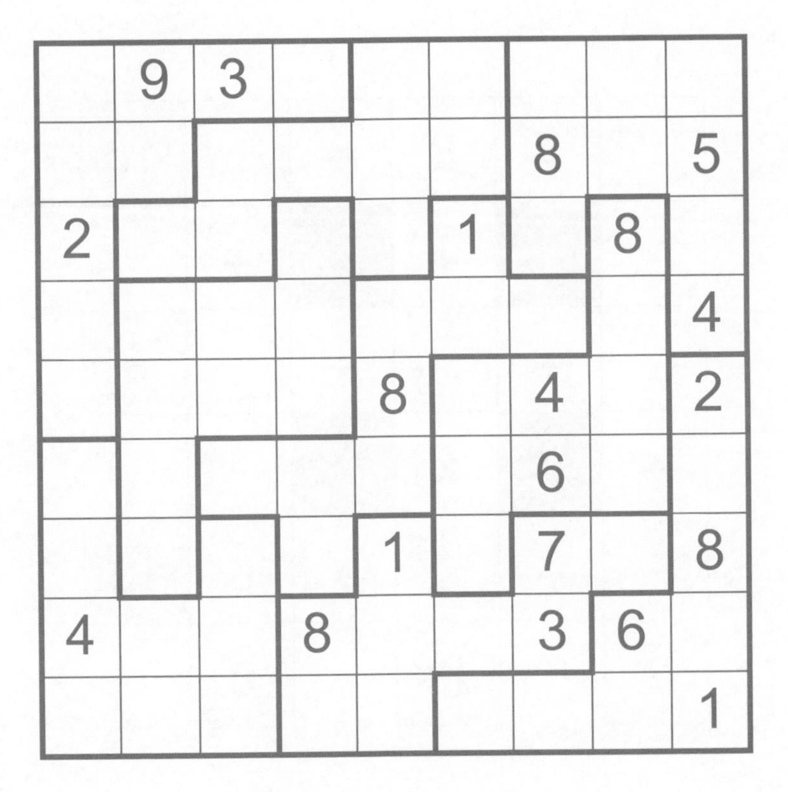

NUMBER SQUARE

	x	8	÷		10
-	■	+	■	+	
	+		÷		6
+	■	x	■	-	
	÷		+	6	13
3		11		0	

SYMBOLS OF VALUE

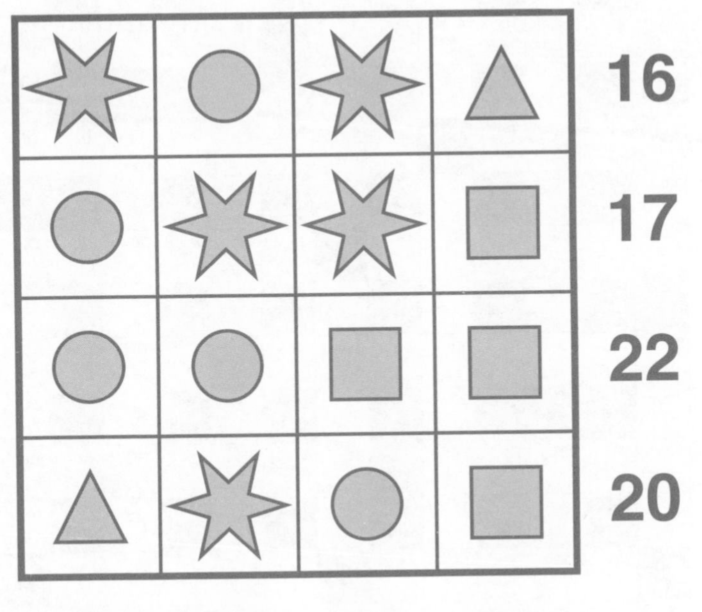

CODEWORD

	24	15	20	12	26		20	25	12	12	4	
14		9		26		1		16		17		18
20	9	16	19	4	12	14		19	21	13	16	12
9		12		14		19		26				20
2	24	1	3		5	6	24	8	8	12	16	14
11		16		12		17		6		26		
14	1	24	13	20	14		26	12	2	20	19	16
		24		2		5		16		12		24
24	15	15	14	23	24	16	12		4	16	13	5
7				9		19		19		20		24
12	19	20	12	26		10	9	5	16	19	26	20
26		19		8		24		6		9		14
	22	13	19	14	23		23	3	17	26	14	

A B C D E F G H I J K L M N O P Q R S T U V W X Y Z

1	2	3	4	5	6	7	8	9	10	11	12	13
											E	

14	15	16	17	18	19	20	21	22	23	24	25	26
						T						N

BATTLESHIPS

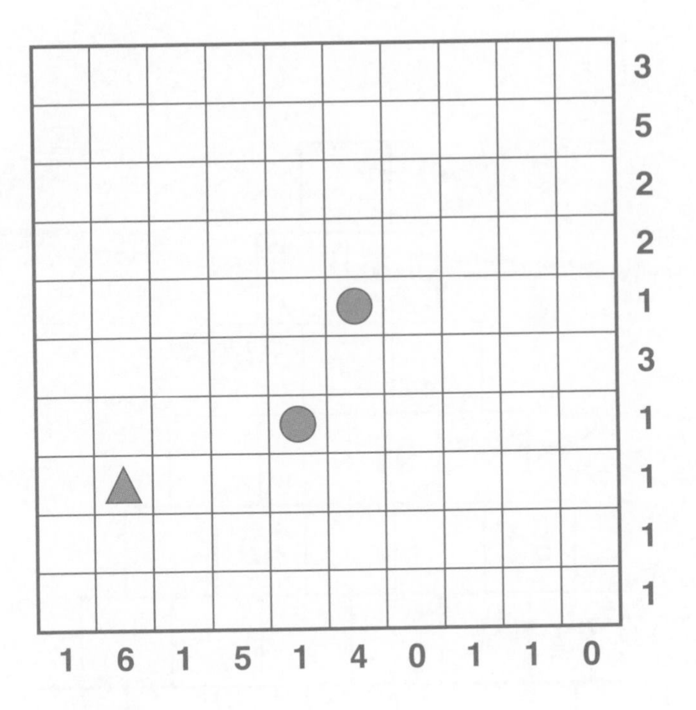

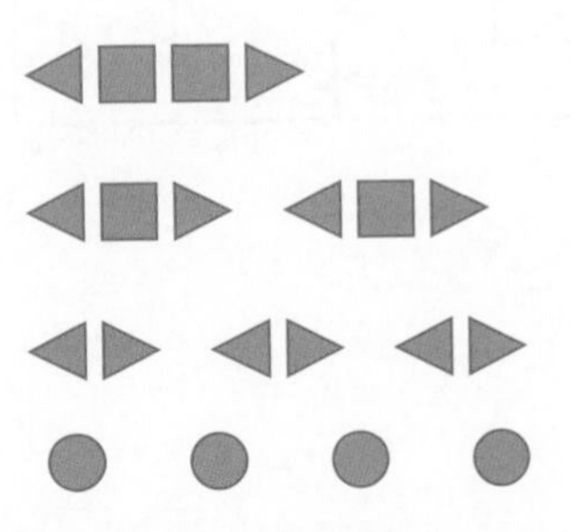

NUMBER TOWER

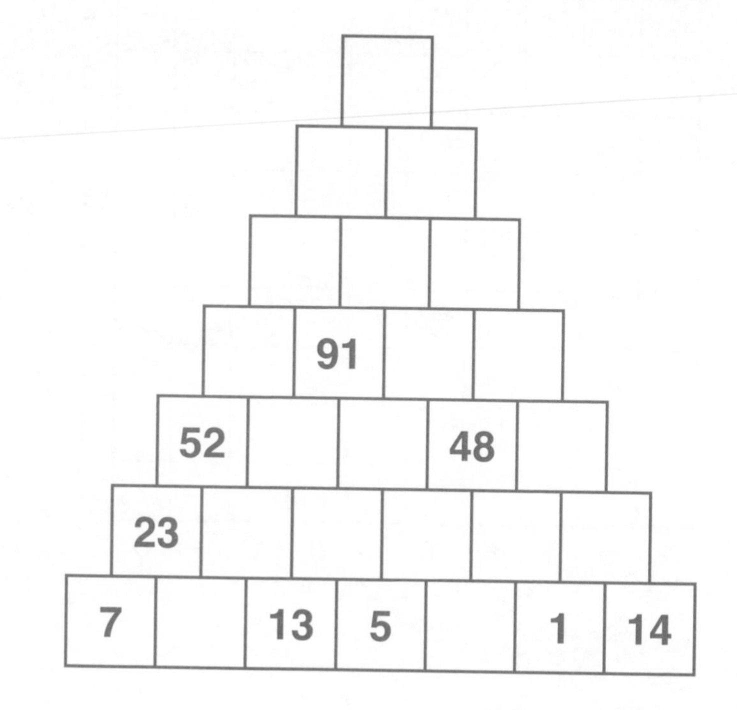

HEXAGONAL MAZE

FITWORD – MAMMALS

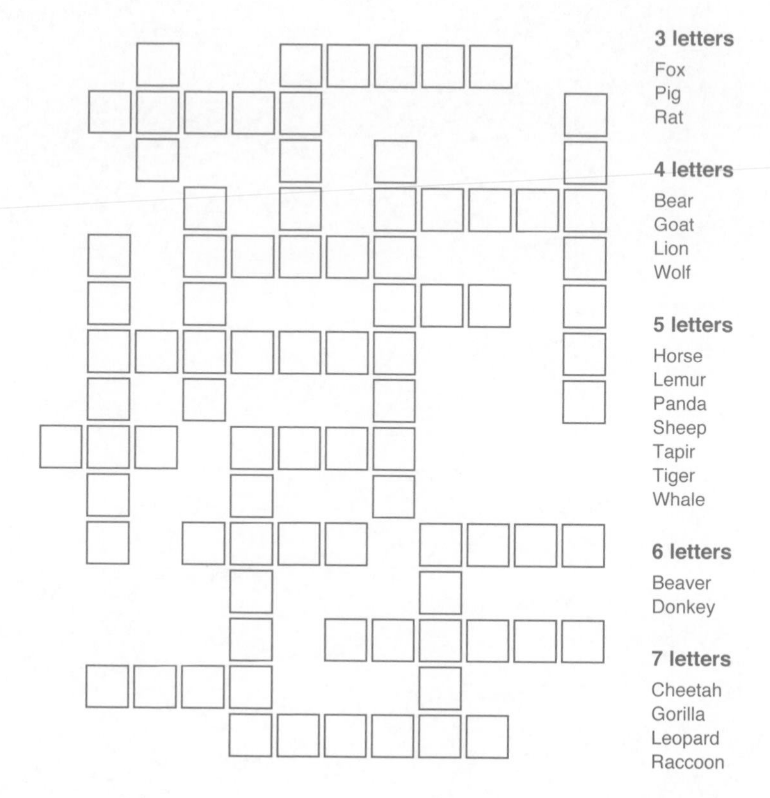

3 letters
Fox
Pig
Rat

4 letters
Bear
Goat
Lion
Wolf

5 letters
Horse
Lemur
Panda
Sheep
Tapir
Tiger
Whale

6 letters
Beaver
Donkey

7 letters
Cheetah
Gorilla
Leopard
Raccoon

8 letters
Elephant

A–Z PUZZLE

E A C H E S S Y
A A S E M L
I V I D L A L H A
O E E R R I
A S H M U S L A R
A I P H O
A R Y N T E N I S
O B R
E P E R O S E B U
M I I A V A
I C I N G E N O I N S
T N U A T
S S F R A Y
A B C D E F G H I J K L M N O P Q R S T U V W X Y Z

KILLER SUDOKU

13		8		15			7	14
12	13			11				
	7		14		13	9	14	
	22	14		15			5	
14					12		10	
		19	5	7	8		12	
5					14		17	5
12			15	7				
12				16			9	

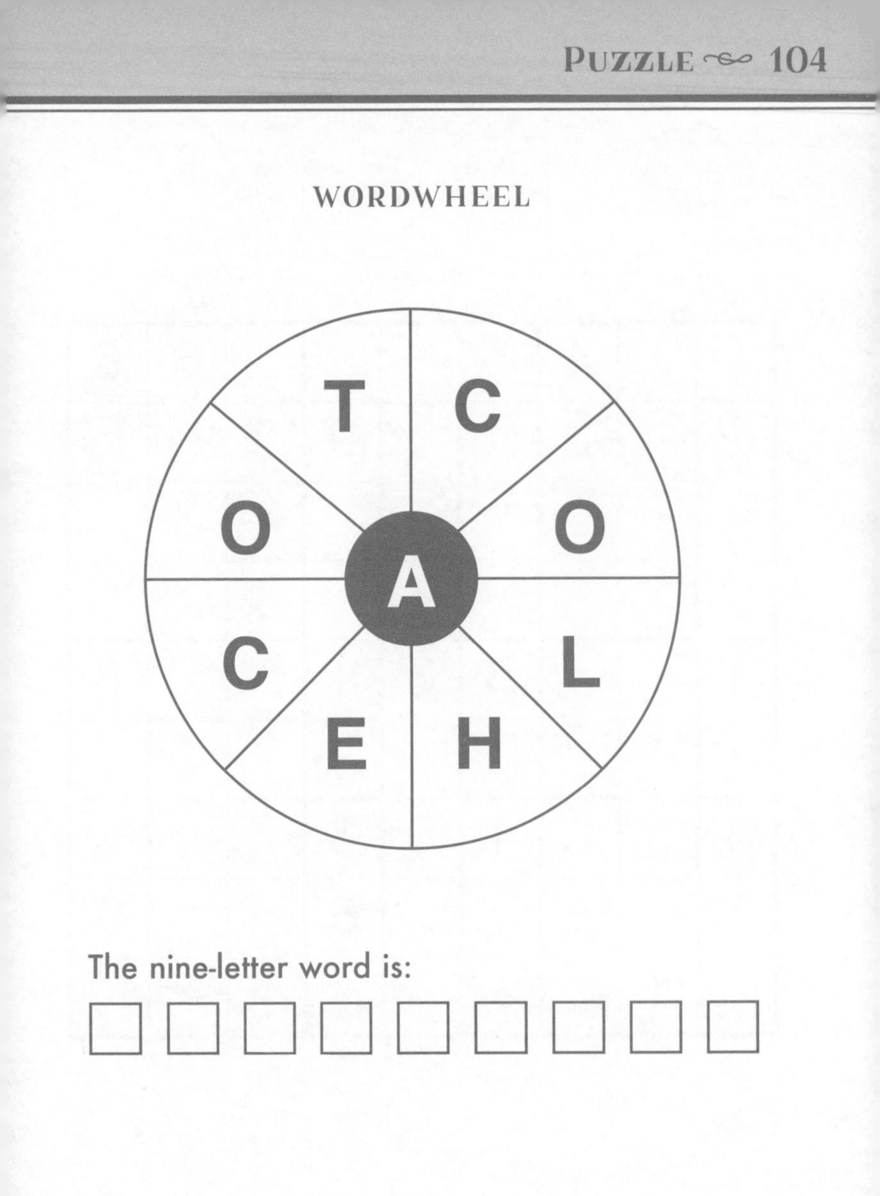
WORDWHEEL
T
C
O
O
A
C
L
E
H
The nine-letter word is:

JIGSAW SUDOKU

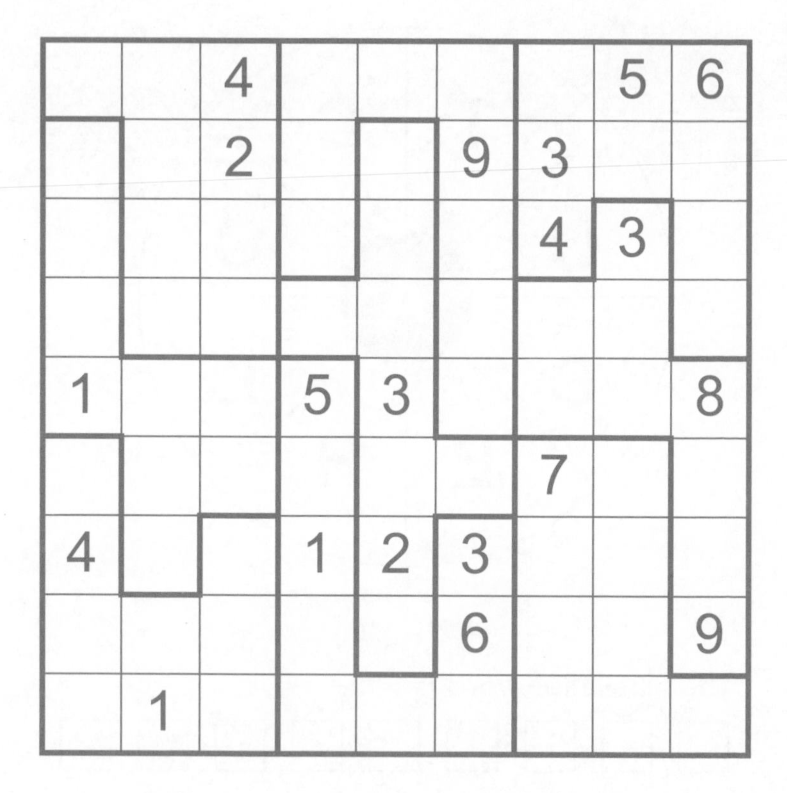

NUMBER SQUARE

2	x		x		112
-		+		x	
	x		x		54
+		-		-	
	+		+	3	12
0		3		69	

SYMBOLS OF VALUE

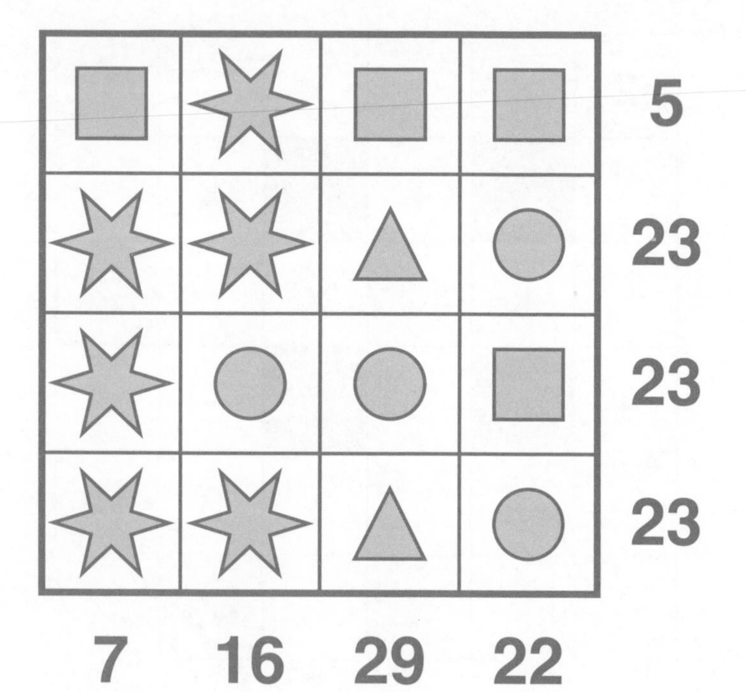

CODEWORD

25	10	8	1	23	22		7	23	1	16	4	22
	26		9		26		1		13		1	
21	6	9	22		10	18	14	25	13	23	1	16
	16		23		22		18		26			
22	11	17	20	3		24	14	23	17	5	25	16
	10		25		19		22				5	
12	8	23	17	10	25	16	3	8	22	5	14	5
	1				9		10		9		10	
10	3	1	1	20	22	13		12	25	3	22	23
			15		26		7		12		5	
14	16	26	6	2	22	26	17		14	10	22	13
	22		13		3		3		22		16	
24	22	19	22	26	10		22	24	22	12	3	10

A B C D E F G H I J K L M N O P Q R S T U V W X Y Z

1	2	3	4	5	6	7	8	9	10	11	12	13
O			Z		I							

14	15	16	17	18	19	20	21	22	23	24	25	26

BATTLESHIPS

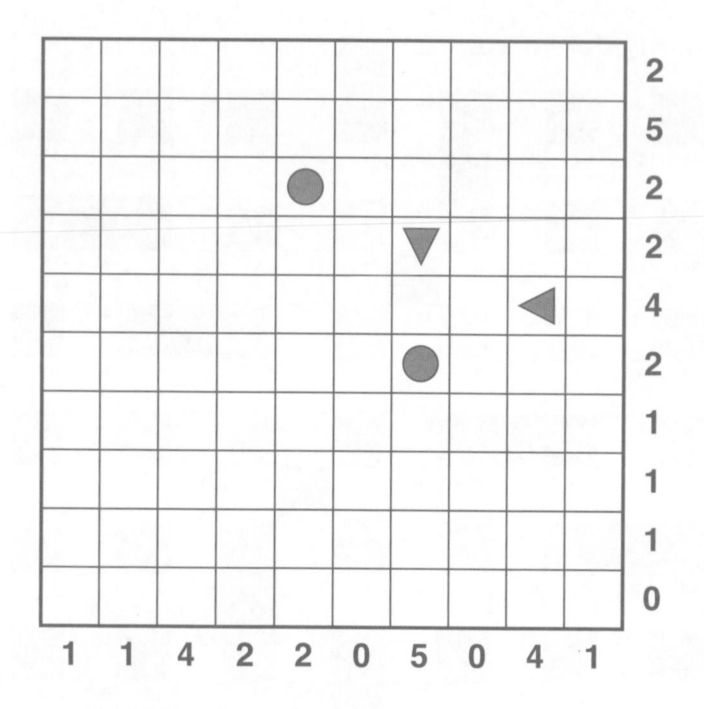

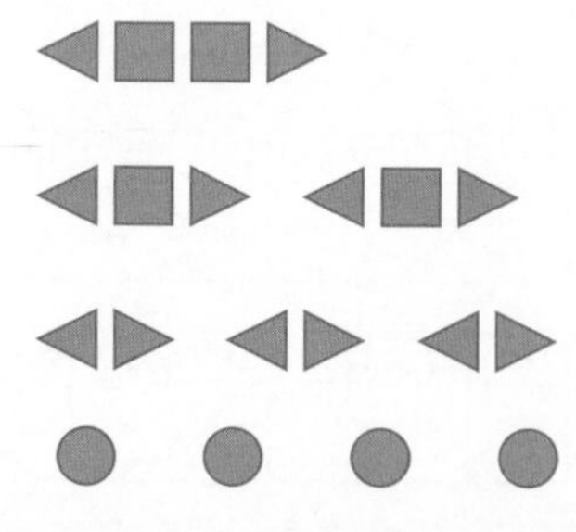

NUMBER TOWER

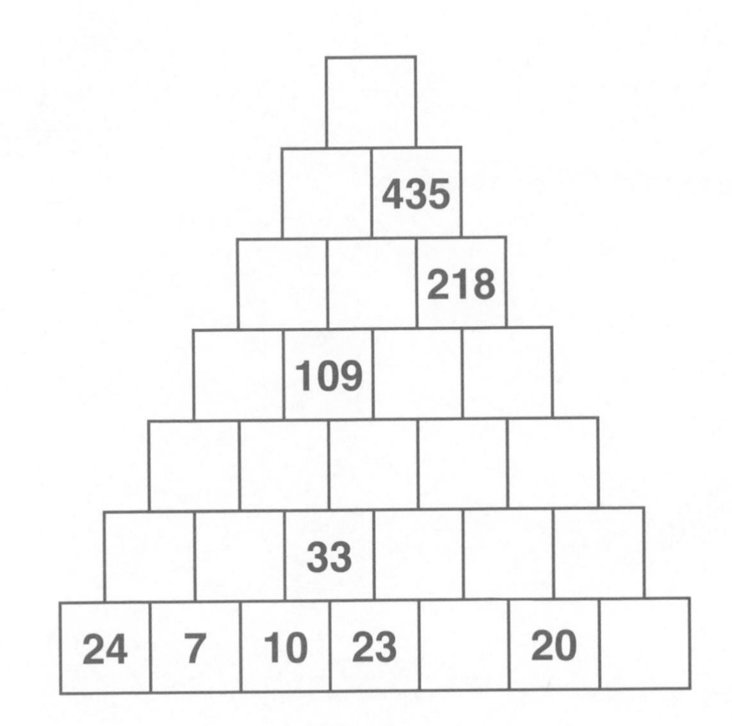

HEXAGONAL MAZE

FITWORD – THINGS THAT FLY

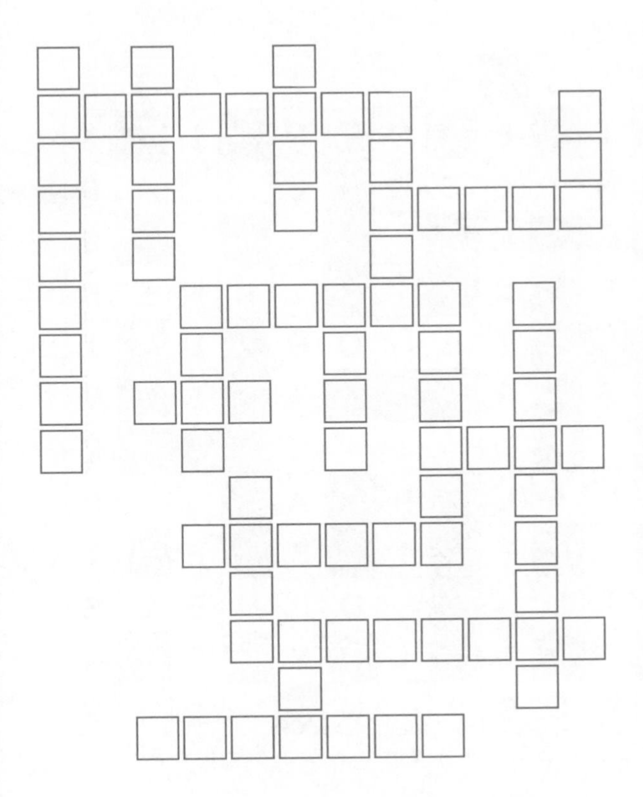

3 letters

Bat
Bee
Owl

4 letters

Duck
Gnat
Kite
Moth
Wasp

5 letters

Drone
Eagle
Goose

6 letters

Glider
Hornet
Rocket

7 letters

Swallow

8 letters

Airplane
Housefly

9 letters

Butterfly
Satellite

A–Z PUZZLE

KILLER SUDOKU

10		17	15			28	11	
7				3				
12	7	9	15		27	9		10
11	20			8		12		
	11	6		14		12		24
14		7			29	6		
		9		7				
10		10				15		

WORDWHEEL

The nine-letter word is:

JIGSAW SUDOKU

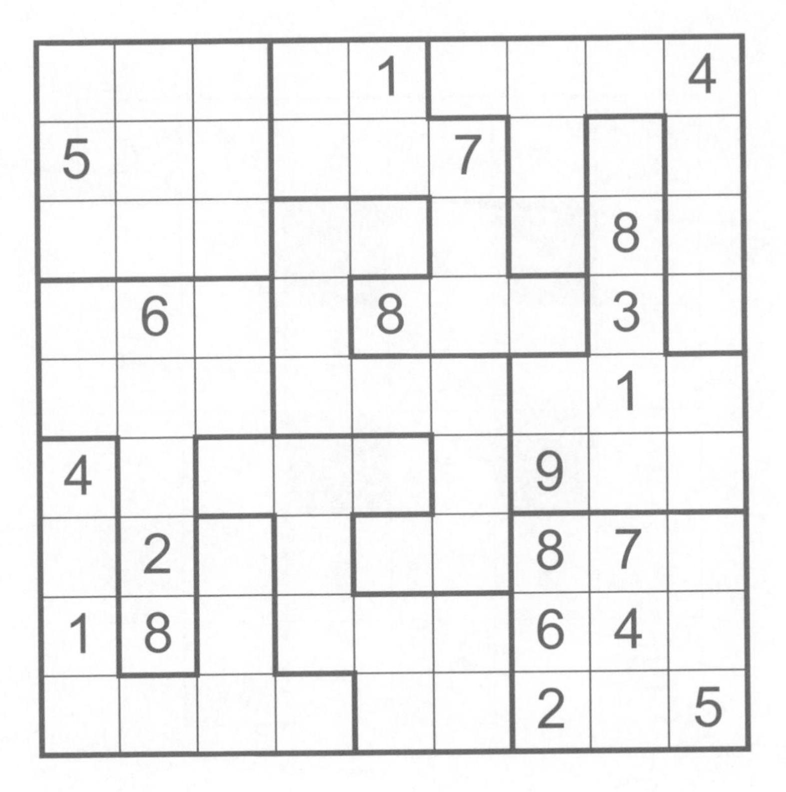

NUMBER SQUARE

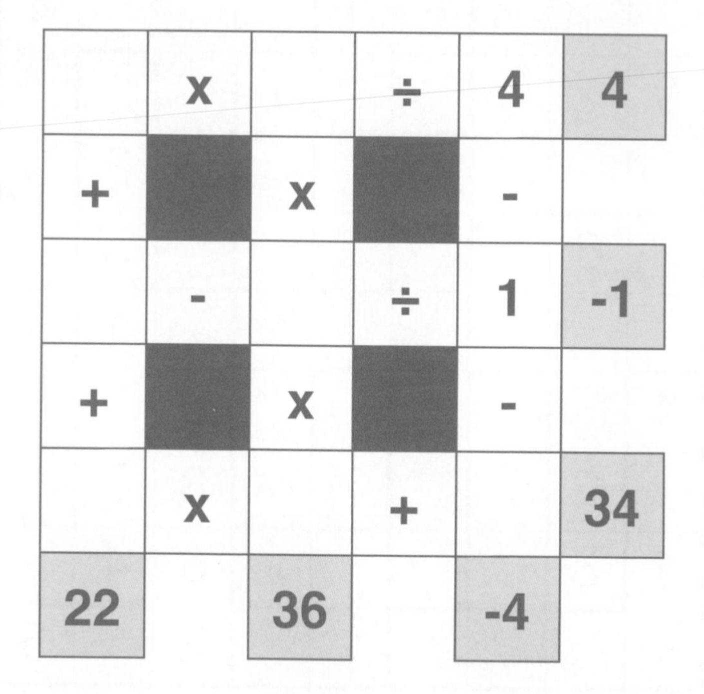

SYMBOLS OF VALUE

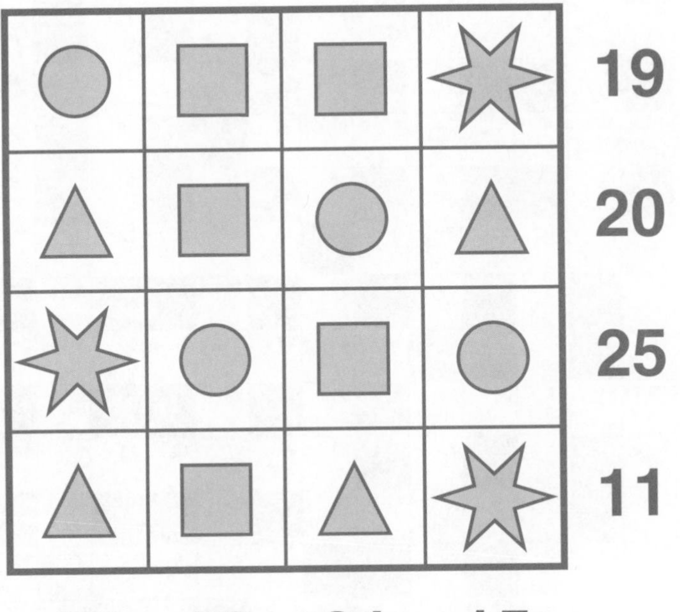

17 22 21 15

CODEWORD

23	11	5	19	22	26	■	■	4	■	23	26	3
■	1	■	■	21	■	14	5	19	18	26	■	2
5	26	10	5	19	2	1	■	5	■	7	■	1
■	2	■	■	1	■	19	■	26	17	21	1	10
6	12	26	5	24	6	9	26	■	■	19	■	16
■	26	■	■	26	■	10	■	25	■	9	■	26
2	5	10	26	5	8	■	13	6	21	23	10	23
5	■	26	■	23	■	18	■	21	■	■	8	■
11	■	25	■	■	18	2	23	23	3	6	5	24
15	6	18	26	24	■	5	■	23	■	■	2	■
3	■	26	■	2	■	23	20	2	10	19	9	14
2	■	23	19	9	14	26	■	20	■	■	10	■
8	26	10	■	20	■	■	1	2	10	26	23	10

A B C D E F G H I J K L M N O P Q R S T U V W X Y Z

1	2	3	4	5	6	7	8	9	10	11	12	13
									T			

14	15	16	17	18	19	20	21	22	23	24	25	26
				P								E

BATTLESHIPS

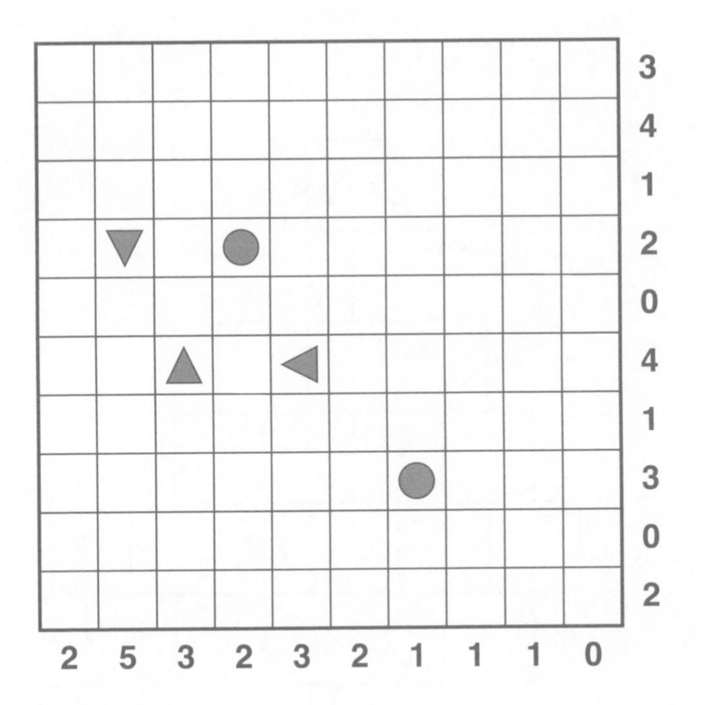

NUMBER TOWER

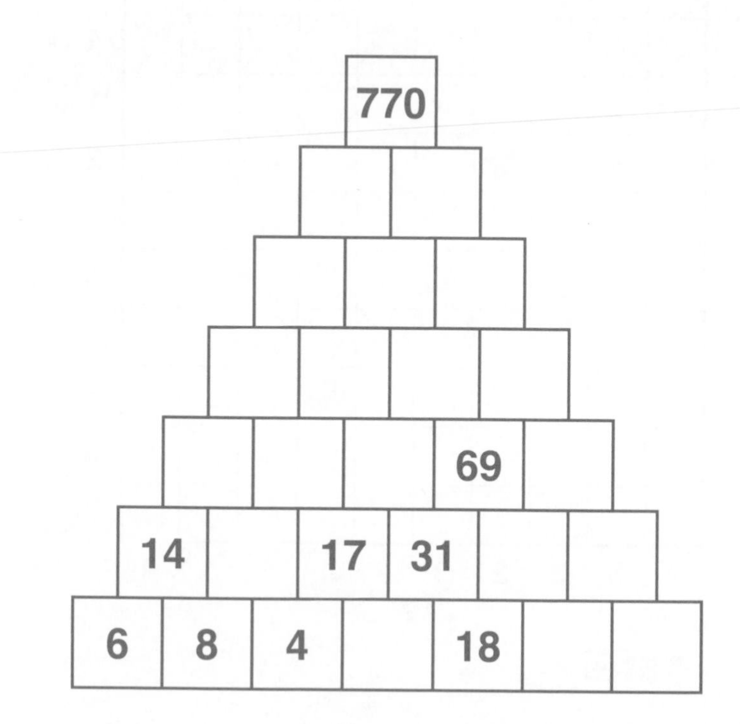

HEXAGONAL MAZE

FITWORD – US PRESIDENTS

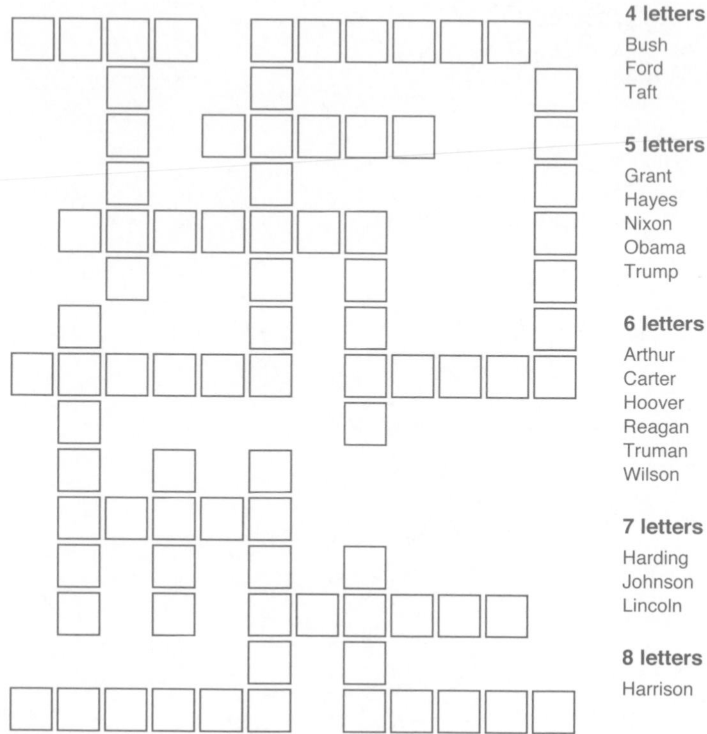

4 letters
Bush
Ford
Taft

5 letters
Grant
Hayes
Nixon
Obama
Trump

6 letters
Arthur
Carter
Hoover
Reagan
Truman
Wilson

7 letters
Harding
Johnson
Lincoln

8 letters
Harrison

A–Z PUZZLE

KILLER SUDOKU

18		4	14	7		14		10
14					15			
		21	11		8	20		12
6			8	16		19		
	16							
12	8		12	13			9	17
	7			9		12		
9		13	14					
7			8		11		11	

WORDWHEEL

The nine-letter word is:

JIGSAW SUDOKU

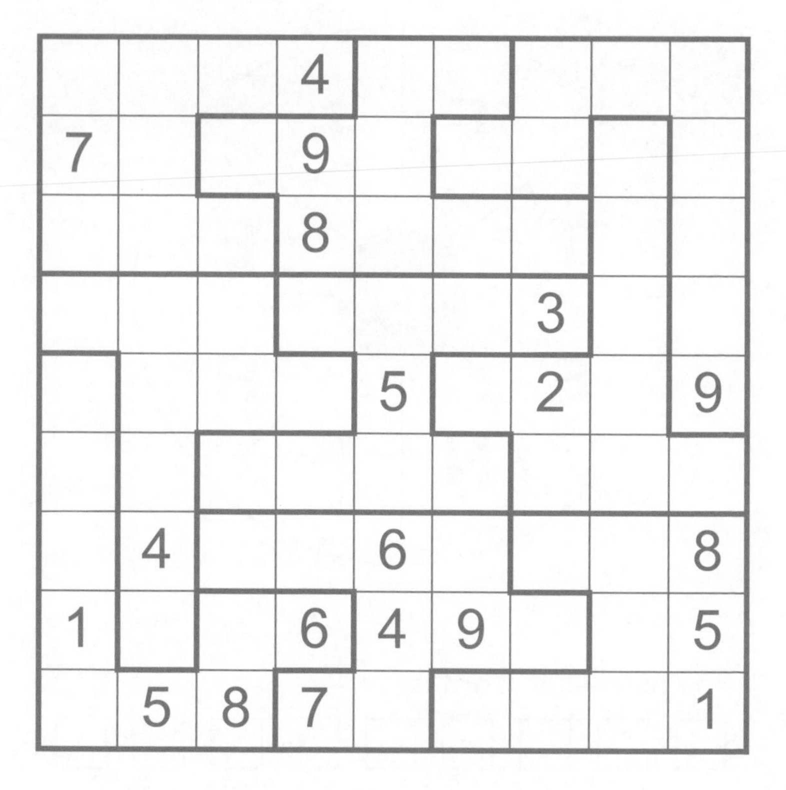

NUMBER SQUARE

	x		x	5	280
x		-		÷	
	+		÷		12
+		÷		+	
4	+		÷		1
28		-1		11	

SYMBOLS OF VALUE

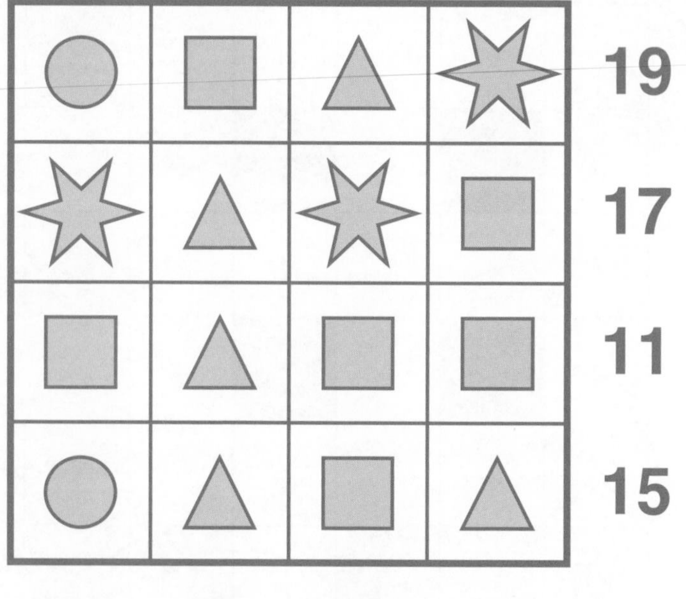

CODEWORD

6	20	22	1	15	14	6	22		2	3	3	18
9		14		10		14				23		4
3	21	6	15	22		6	25	16	1	20	14	21
5		5		1		8				6		11
		19		24		4	21	12	6	9	4	25
4	25	10	9	9	4	15		3		5		1
13				6				21				13
6		3		5		17	4	3	5	22	6	5
11	14	6	13	13	6	14		26		3		
4		14				6		20		21		9
21	3	2	5	13	3	21		3	7	20	25	3
3		4				18		9		14		22
25	4	11	5		3	5	15	6	24	3	3	5

A B C D E F G H I J K L M N O P Q R S T U V W X Y Z

1	2	3	4	5	6	7	8	9	10	11	12	13
			I		A				Y			

14	15	16	17	18	19	20	21	22	23	24	25	26

BATTLESHIPS

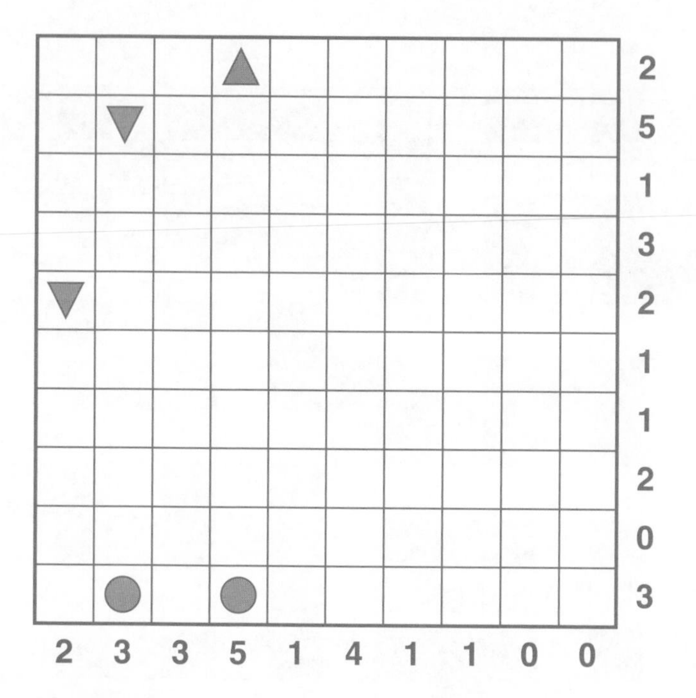

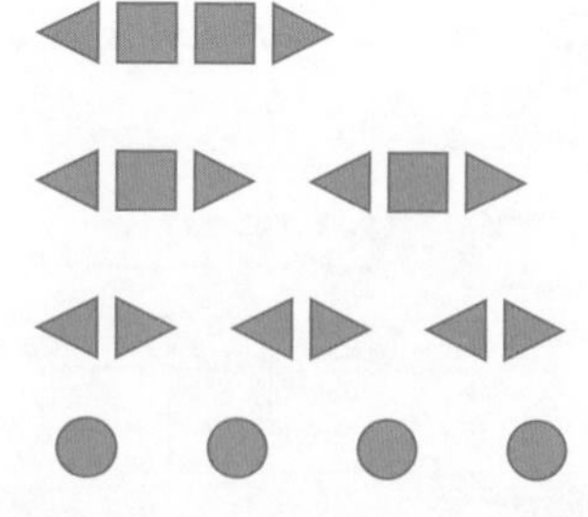

NUMBER TOWER

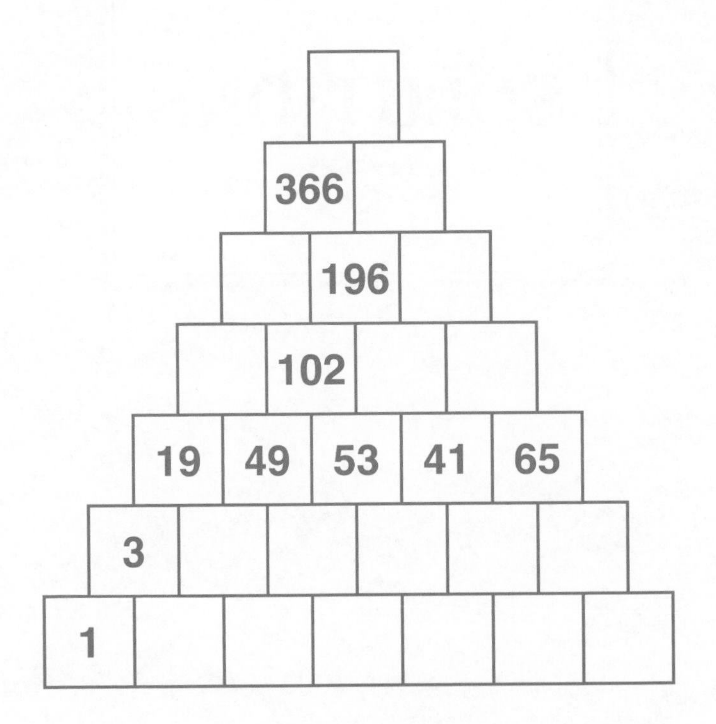

SOLUTIONS

PUZZLE 1

PUZZLE 2

PUZZLE 3

PUZZLE 4

2	8	1	9	6	7	5	4	3
3	5	9	2	4	1	6	7	8
7	6	4	5	3	8	2	9	1
6	4	2	3	8	9	7	1	5
8	3	7	1	5	2	9	6	4
9	1	5	4	7	6	8	3	2
4	9	8	7	1	5	3	2	6
1	2	6	8	9	3	4	5	7
5	7	3	6	2	4	1	8	9

PUZZLE 5

The nine-letter word is:
ADJECTIVE

PUZZLE 6

7	2	1	6	8	4	3	9	5
3	4	8	1	9	5	6	7	2
4	6	9	7	3	2	8	5	1
6	5	3	2	7	9	1	8	4
1	8	5	9	6	3	4	2	7
5	7	2	4	1	8	9	6	3
8	9	7	3	5	1	2	4	6
2	1	6	8	4	7	5	3	9
9	3	4	5	2	6	7	1	8

PUZZLE 7

5	-	7	x	3	-6
x		x		-	
9	+	6	-	4	11
x		x		+	
1	-	2	-	8	-9
45		84		7	

PUZZLE 8

Circle: 3
Square: 2
Triangle: 10
Star: 1

PUZZLE 9

PUZZLE 10

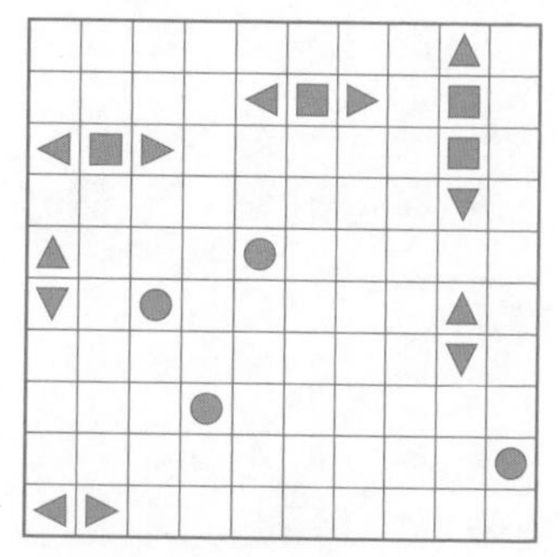

PUZZLE 11

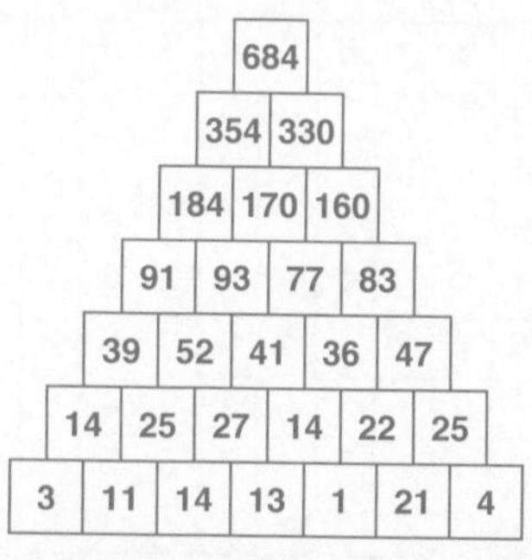

PUZZLE 12

PUZZLE 13

E	L	L	I	P	S	E					
	N						N		E	G	O
	I				E		F		L		
	G		E	X	T	R	O	V	E	R	T
	M		X		H		R		C		
	A		O		O		C		T		
			D		S		E	L	I	T	E
	E		U						O		
E	X	I	S	T				E	N	D	
	C				E			L			
	L		E		D			A			E
	U		Y		G			S			A
	D		E	L	E	V	A	T	E		G
	E		S					I			L
				E	X	E	R	C	I	S	E

PUZZLE 14

	F		R		J		B		D		P	
E	U	R	E	K	A		I	C	I	C	L	E
	L		F		S		N		S		A	
B	L	U	R		M	E	D	I	C	I	N	E
			I		I		S		R		K	
S	T	A	G	I	N	G		T	E	X	T	S
	A		E		E		B		T		O	
U	S	U	R	P		R	E	S	I	G	N	S
	T		A		A		C		O			
V	E	R	T	E	B	R	A		N	E	W	T
	F		O		U		U		A		A	
Q	U	A	R	T	Z		S	H	R	I	F	T
	L		S		Z		E		Y		T	

PUZZLE 15

1	9	6	8	4	2	3	5	7
2	8	4	7	5	3	6	1	9
5	7	3	9	6	1	4	2	8
3	4	7	6	2	5	9	8	1
9	1	8	4	3	7	5	6	2
6	5	2	1	8	9	7	4	3
8	2	9	5	7	6	1	3	4
4	6	1	3	9	8	2	7	5
7	3	5	2	1	4	8	9	6

PUZZLE 16

The nine-letter word is:
BEAUTIFUL

PUZZLE 17

4	9	3	6	5	2	8	7	1
5	7	6	8	3	1	9	2	4
8	2	5	7	4	9	3	1	6
7	1	8	2	9	3	4	6	5
9	6	1	3	7	4	5	8	2
3	4	2	1	8	5	6	9	7
2	3	7	5	6	8	1	4	9
6	8	9	4	1	7	2	5	3
1	5	4	9	2	6	7	3	8

PUZZLE 18

5	-	3	x	9	18
+		÷		-	
6	-	1	+	2	7
x		+		+	
8	-	4	-	7	-3
88		7		14	

PUZZLE 19

Circle: 8
Square: 3
Triangle: 1
Star: 9

PUZZLE 20

PUZZLE 21

PUZZLE 22

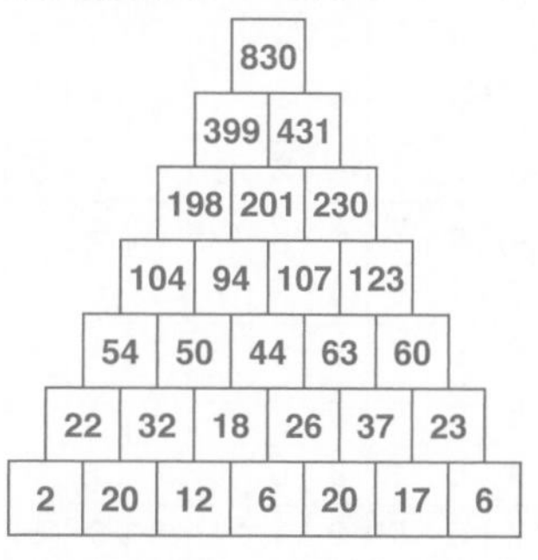

PUZZLE 23

PUZZLE 24

PUZZLE 25

PUZZLE 26

4	3	5	8	9	7	1	2	6
1	7	9	6	2	5	3	8	4
8	2	6	4	1	3	7	5	9
5	8	3	9	7	2	4	6	1
9	6	2	3	4	1	8	7	5
7	4	1	5	8	6	2	9	3
6	5	8	2	3	4	9	1	7
3	9	7	1	6	8	5	4	2
2	1	4	7	5	9	6	3	8

PUZZLE 27

The nine-letter word is:
ALLIGATOR

PUZZLE 28

6	1	8	3	4	9	2	5	7
9	2	5	8	3	7	6	1	4
4	3	2	5	1	6	9	7	8
7	5	1	4	6	8	3	9	2
8	9	4	7	2	5	1	3	6
2	6	7	1	5	3	4	8	9
1	7	6	9	8	4	5	2	3
3	4	9	2	7	1	8	6	5
5	8	3	6	9	2	7	4	1

PUZZLE 29

2	x	5	+	8	18
x		x		+	
6	-	9	+	7	4
-		÷		+	
1	+	3	-	4	0
11		15		19	

PUZZLE 30

Circle: 9
Square: 3
Triangle: 10
Star: 5

PUZZLE 31

PUZZLE 32

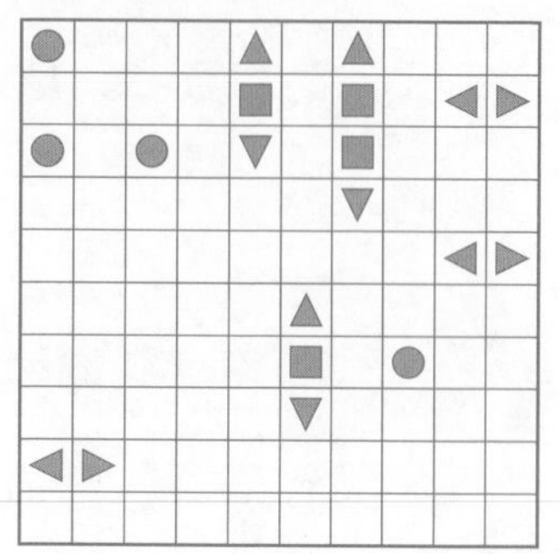

PUZZLE 33

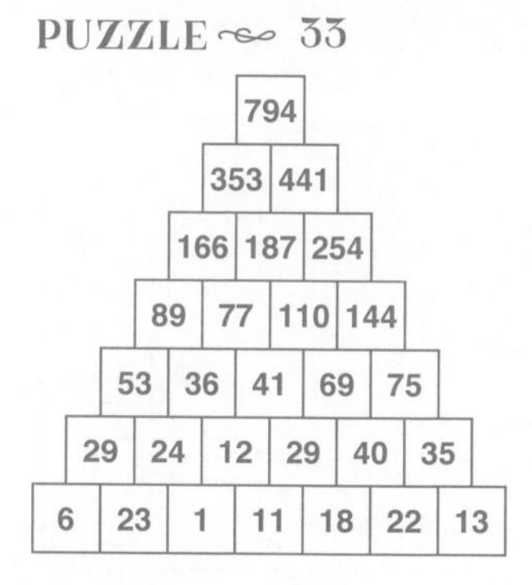

PUZZLE 34

PUZZLE 35

PUZZLE 36

PUZZLE 37

1	7	4	9	5	2	3	8	6
5	6	3	8	1	7	2	4	9
8	2	9	6	4	3	1	5	7
2	3	5	4	9	6	7	1	8
7	9	1	3	2	8	5	6	4
4	8	6	1	7	5	9	2	3
6	5	8	2	3	9	4	7	1
3	4	7	5	6	1	8	9	2
9	1	2	7	8	4	6	3	5

PUZZLE 38

The nine-letter word is:
VEGETABLE

PUZZLE 39

4	1	8	3	2	6	5	9	7
3	9	7	2	8	5	6	4	1
5	6	2	9	7	4	1	8	3
6	2	5	4	1	7	9	3	8
1	7	9	8	4	3	2	6	5
8	3	1	6	5	9	4	7	2
9	8	6	5	3	1	7	2	4
2	5	4	7	9	8	3	1	6
7	4	3	1	6	2	8	5	9

PUZZLE 40

2	-	6	x	3	-12
x		-		+	
5	x	1	x	9	45
x		x		x	
8	÷	4	x	7	14
80		20		84	

PUZZLE 41

Circle: 7
Square: 6
Triangle: 4
Star: 10

PUZZLE 42

P	A	T	H		W	A	V	E	F	O	R	M
R		W		R		B		Q		B		E
E	R	A	S	E	R	S		U	N	L	I	T
O		N		I		U		I		O		A
C	O	G		N		R		V	E	N	O	M
C				V	O	D	K	A		G		O
U		S		I				L		S		R
P		H		G	A	U	Z	E				P
A	M	I	G	O		N		N		A	S	H
T		N		R		J		T		F		O
I	N	D	I	A		U	P	L	I	F	T	S
O		I		T		S		Y		I		I
N	E	G	L	E	C	T	S		A	X	E	S

PUZZLE 43

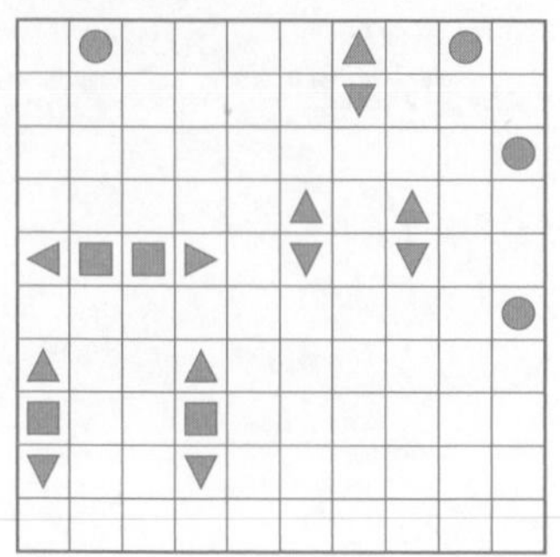

PUZZLE 44

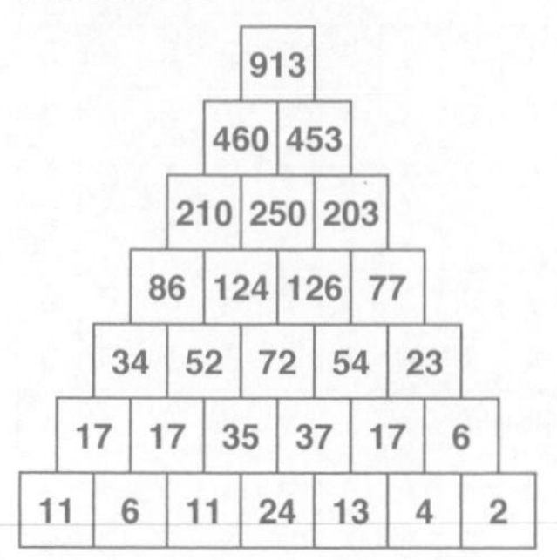

PUZZLE 45

PUZZLE 46

PUZZLE 47

PUZZLE 48

8	9	1	7	6	2	3	4	5
3	2	6	4	5	9	7	1	8
4	5	7	1	3	8	6	9	2
7	6	5	8	1	3	9	2	4
2	4	3	9	7	5	8	6	1
9	1	8	2	4	6	5	7	3
1	3	2	6	8	7	4	5	9
5	7	9	3	2	4	1	8	6
6	8	4	5	9	1	2	3	7

PUZZLE 49

The nine-letter word is:
TOOTHACHE

PUZZLE 50

4	1	9	5	7	6	2	8	3
2	7	6	8	3	1	5	9	4
5	3	8	9	1	4	6	7	2
6	9	3	2	8	5	1	4	7
1	5	2	4	6	7	8	3	9
8	4	5	3	9	2	7	1	6
7	8	4	6	2	9	3	5	1
9	6	7	1	5	3	4	2	8
3	2	1	7	4	8	9	6	5

PUZZLE 51

7	x	8	-	2	54
x		-		-	
6	+	9	-	1	14
-		x		-	
5	-	3	+	4	6
37		-3		-3	

PUZZLE 52

Circle: 1
Square: 9
Triangle: 2
Star: 5

PUZZLE 53

PUZZLE 54

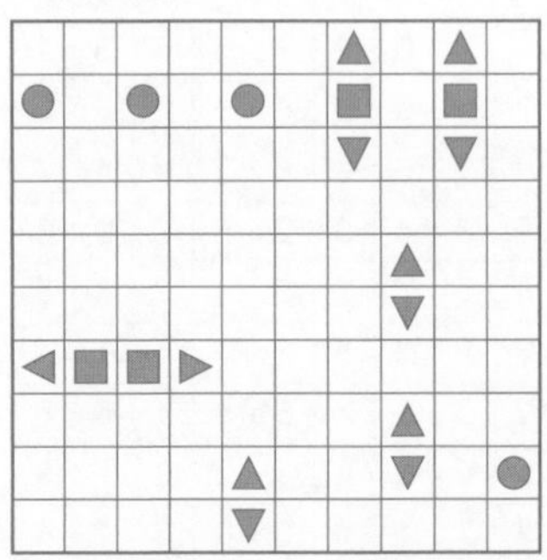

PUZZLE 55

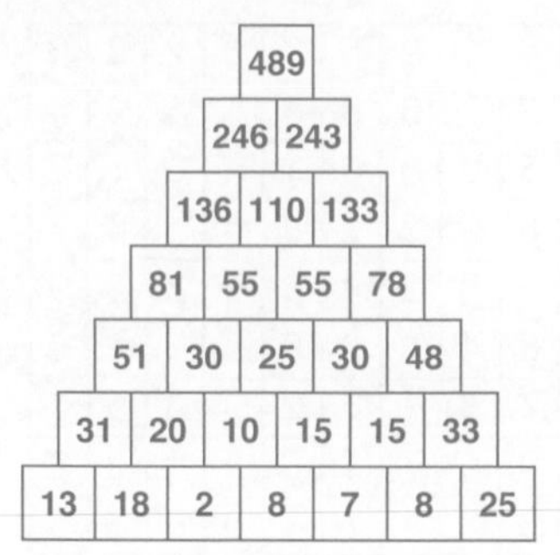

PUZZLE 56

PUZZLE 57

PUZZLE 58

PUZZLE 59

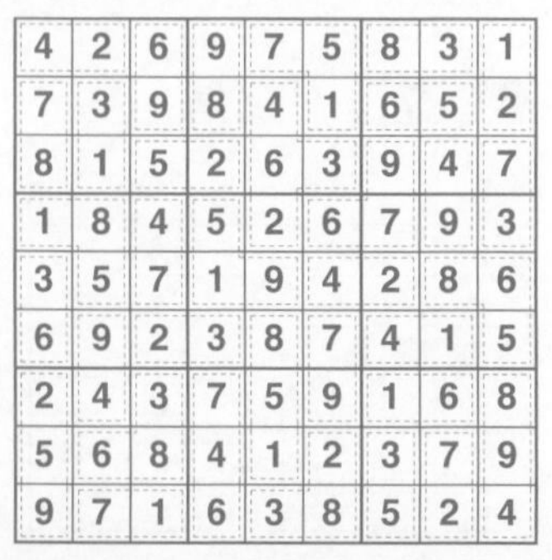

PUZZLE 60

The nine-letter word is:
DELIGHTED

PUZZLE 61

9	7	8	1	6	5	4	2	3
5	4	1	2	7	3	6	8	9
3	2	6	7	4	8	5	9	1
4	8	3	5	2	9	1	6	7
2	1	5	8	9	6	3	7	4
6	9	7	4	3	1	2	5	8
7	6	2	9	1	4	8	3	5
1	5	9	3	8	2	7	4	6
8	3	4	6	5	7	9	1	2

PUZZLE 62

8	+	3	x	9	99
-	■	-	■	-	
7	-	5	-	6	-4
-	■	x	■	÷	
4	+	2	-	1	5
-3		-4		3	

PUZZLE 63

Circle: 1
Square: 3
Triangle: 7
Star: 8

PUZZLE 64

PUZZLE 65

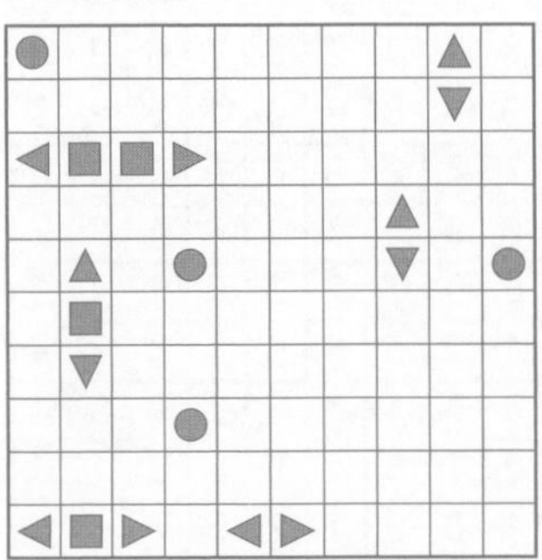

PUZZLE 66

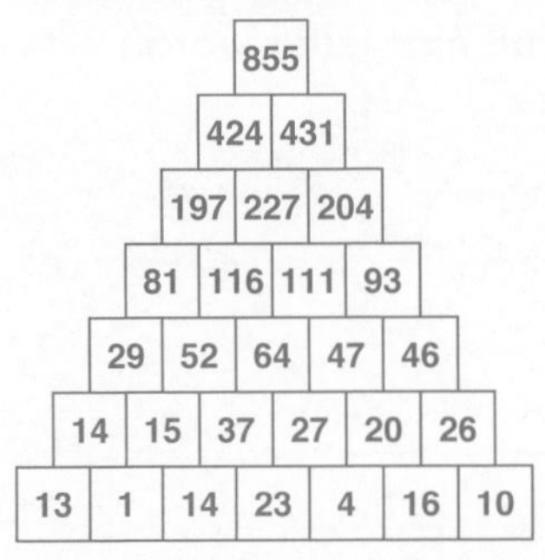

PUZZLE 67

PUZZLE 68

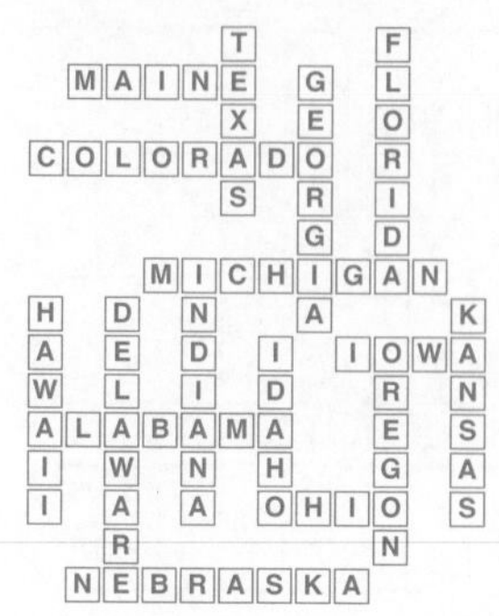

PUZZLE 69

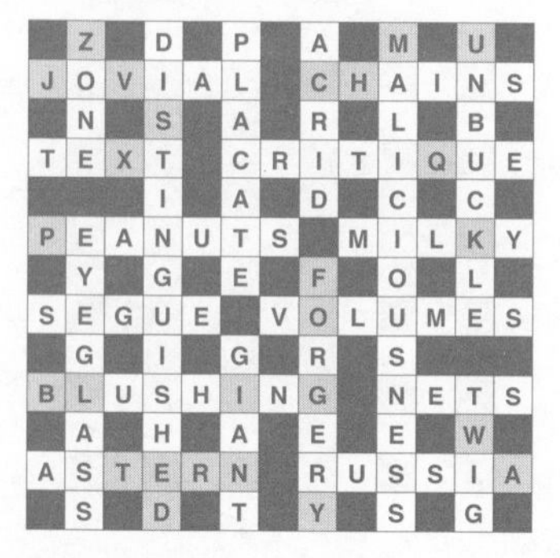

PUZZLE 70

8	7	1	5	9	3	2	6	4
5	6	9	2	4	7	1	8	3
4	3	2	1	8	6	5	7	9
6	4	3	9	5	2	7	1	8
2	8	5	7	3	1	4	9	6
9	1	7	8	6	4	3	5	2
7	2	6	4	1	8	9	3	5
1	5	8	3	2	9	6	4	7
3	9	4	6	7	5	8	2	1

PUZZLE 71

The nine-letter word is:
EVOCATIVE

PUZZLE 72

3	1	4	2	5	7	6	9	8
9	6	8	3	4	1	5	2	7
7	4	2	5	8	9	1	3	6
5	9	3	7	1	6	4	8	2
6	5	7	9	3	8	2	4	1
1	2	5	8	6	4	3	7	9
8	3	1	6	7	2	9	5	4
2	7	6	4	9	3	8	1	5
4	8	9	1	2	5	7	6	3

PUZZLE 73

2	-	7	x	5	-25
+		-		+	
4	x	1	x	3	12
-		+		x	
8	+	6	-	9	5
-2		12		72	

PUZZLE 74

Circle: 3
Square: 8
Triangle: 5
Star: 4

PUZZLE 75

PUZZLE 76

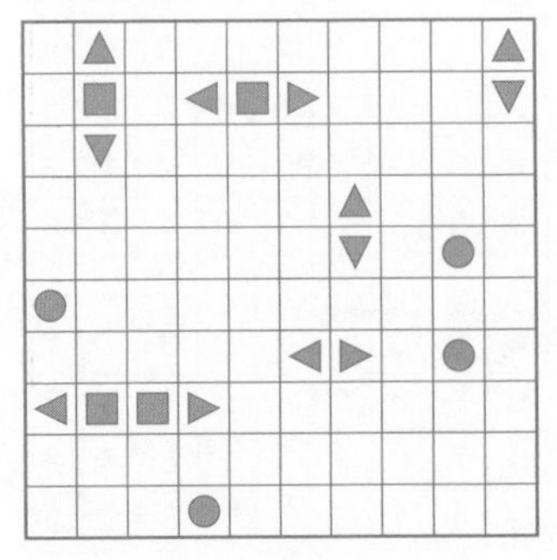

PUZZLE 77

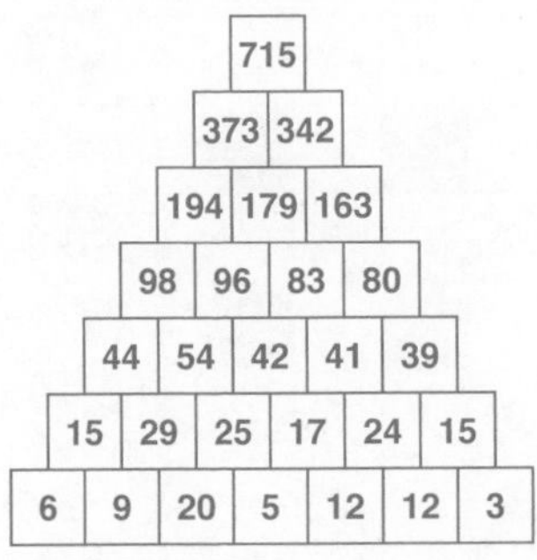

PUZZLE 78

PUZZLE 79

PUZZLE 80

C	L	A	N	G		E	Q	U	A	T	O	R
E		C		A		X			W		O	
L		H		T		C		J	A	Z	Z	Y
E	P	I	D	E	M	I	C		K		E	
B		E		W		S		R	E	A	D	Y
R	E	V	E	A	L	E	D		N			E
I		E		Y				O		S		A
T			I		O	P	E	R	A	T	O	R
Y	A	W	N	S		E		A		O		N
	B		F		C	O	N	C	E	R	T	I
D	O	D	O	S		P		L		I		N
	U		R			L		E		N		G
S	T	U	M	B	L	E		S	I	G	H	S

PUZZLE 81

8	2	5	1	7	3	9	6	4
7	1	3	9	6	4	2	8	5
6	9	4	2	8	5	7	1	3
1	8	2	7	3	6	4	5	9
5	3	7	4	9	1	8	2	6
4	6	9	5	2	8	3	7	1
9	5	8	6	4	2	1	3	7
3	7	6	8	1	9	5	4	2
2	4	1	3	5	7	6	9	8

PUZZLE 82

The nine-letter word is:
BUTTERFLY

PUZZLE 83

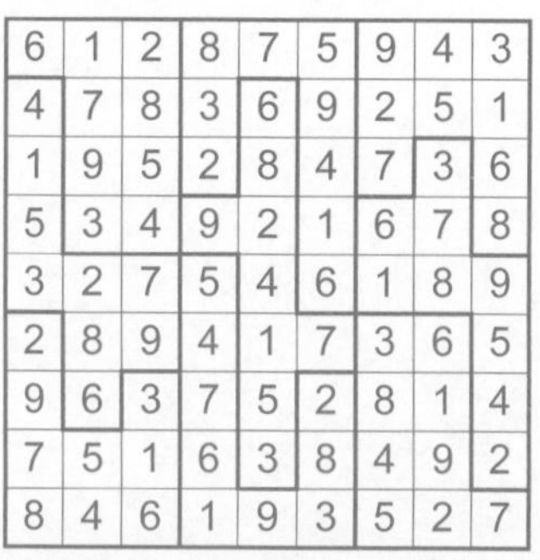

6	1	2	8	7	5	9	4	3
4	7	8	3	6	9	2	5	1
1	9	5	2	8	4	7	3	6
5	3	4	9	2	1	6	7	8
3	2	7	5	4	6	1	8	9
2	8	9	4	1	7	3	6	5
9	6	3	7	5	2	8	1	4
7	5	1	6	3	8	4	9	2
8	4	6	1	9	3	5	2	7

PUZZLE 84

3	-	9	+	2	-4
-		+		+	
8	+	5	+	4	17
x		÷		+	
6	+	7	+	1	14
-30		2		7	

PUZZLE 85

Circle: 3
Square: 6
Triangle: 4
Star: 8

PUZZLE 86

PUZZLE 87

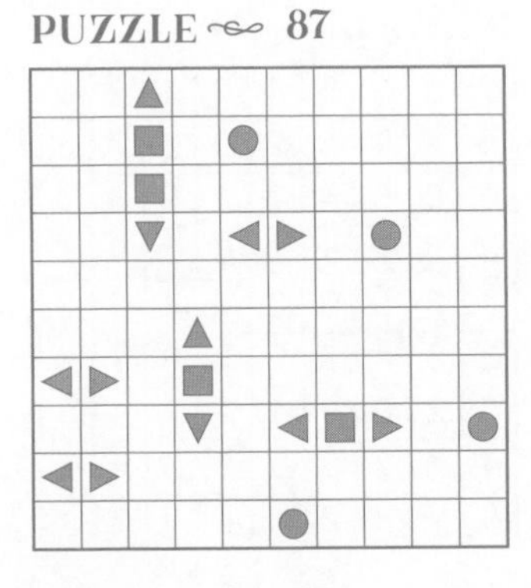

PUZZLE 88

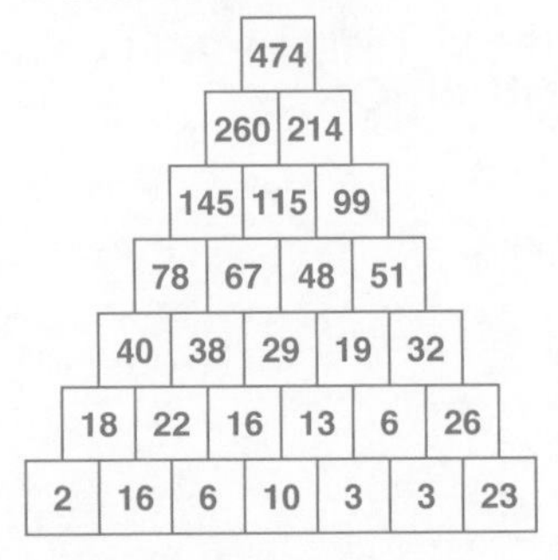

PUZZLE 89

PUZZLE 90

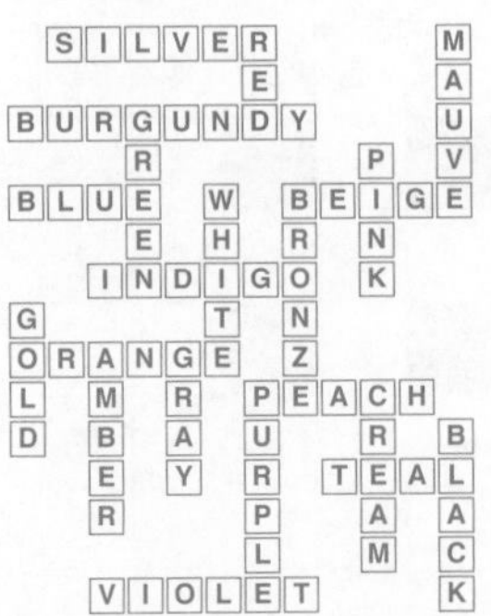

PUZZLE 91

J	E	T	S	A	M		D	E	L	A	Y	S
	L		P		A		U		E		E	
P	O	O	R		Z	I	M	B	A	B	W	E
	Q		A		E		P		V			
Q	U	A	Y	S		A	L	L	E	G	E	D
	E		E		S		I				R	
U	N	P	R	E	T	E	N	T	I	O	U	S
	C				A		G		N		D	
H	E	L	M	E	T	S		A	F	F	I	X
			A		U		B		L		T	
C	O	C	K	A	T	O	O		A	V	I	D
	W		E		E		L		T		O	
A	L	A	R	M	S		T	E	E	I	N	G

PUZZLE 92

5	2	6	3	4	7	1	9	8
4	3	9	1	8	2	5	7	6
1	8	7	6	9	5	2	4	3
6	1	3	8	7	9	4	5	2
9	7	5	4	2	6	8	3	1
8	4	2	5	3	1	9	6	7
2	6	4	9	1	3	7	8	5
7	5	8	2	6	4	3	1	9
3	9	1	7	5	8	6	2	4

PUZZLE 93

The nine-letter word is:
NUTRITION

PUZZLE 94

7	9	3	5	4	8	1	2	6
6	4	1	3	2	9	8	7	5
2	6	5	4	7	1	9	8	3
8	5	7	1	3	6	2	9	4
1	3	9	6	8	7	4	5	2
3	8	4	7	5	2	6	1	9
5	2	6	9	1	3	7	4	8
4	1	2	8	9	5	3	6	7
9	7	8	2	6	4	5	3	1

PUZZLE 95

5	x	8	÷	4	10
-		+		+	
9	+	3	÷	2	6
+		x		-	
7	÷	1	+	6	13
3		11		0	

PUZZLE 96

Circle: 4
Square: 7
Triangle: 6
Star: 3

PUZZLE 97

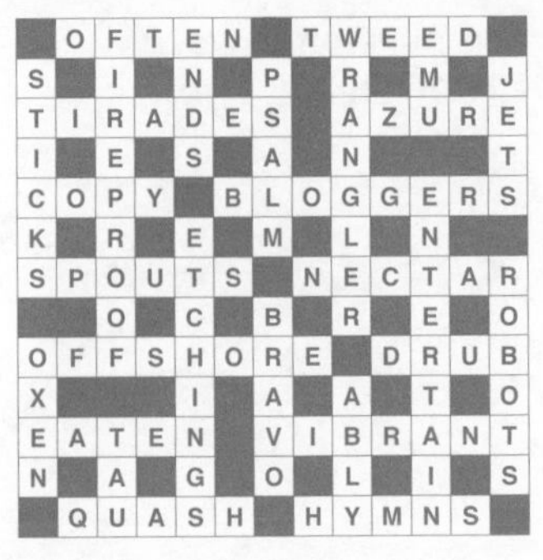

PUZZLE 98

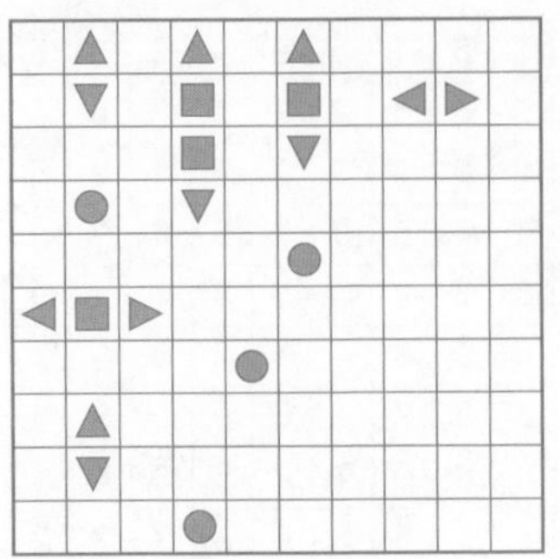

PUZZLE 99

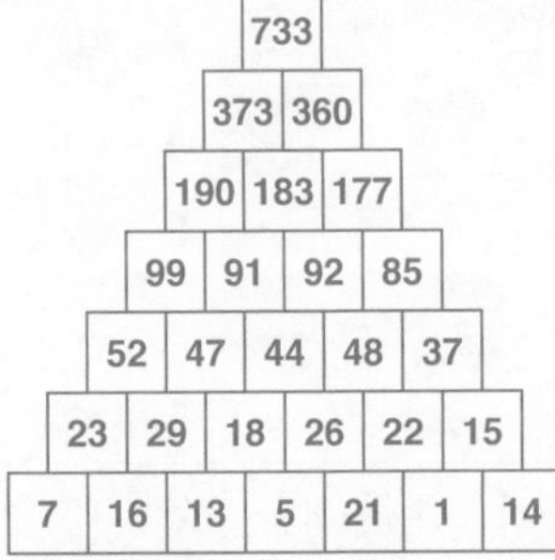

PUZZLE 100

PUZZLE 101

PUZZLE 102

PUZZLE 103

7	6	1	5	9	4	2	3	8
9	5	8	2	3	1	7	4	6
2	3	4	6	8	7	1	9	5
1	4	5	9	7	6	8	2	3
6	7	2	3	5	8	4	1	9
8	9	3	4	1	2	6	5	7
3	2	7	1	6	9	5	8	4
4	8	9	7	2	5	3	6	1
5	1	6	8	4	3	9	7	2

PUZZLE 104

The nine-letter word is:
CHOCOLATE

PUZZLE 105

8	7	4	3	1	2	9	5	6
7	5	2	6	4	9	3	8	1
2	9	1	8	6	5	4	3	7
5	3	6	9	8	4	1	7	2
1	4	9	5	3	7	6	2	8
9	8	3	2	5	1	7	6	4
4	6	7	1	2	3	8	9	5
3	2	8	4	7	6	5	1	9
6	1	5	7	9	8	2	4	3

PUZZLE 106

2	x	7	x	8	112
-		+		x	
6	x	1	x	9	54
+		-		-	
4	+	5	+	3	12
0		3		69	

PUZZLE 107

Circle: 10
Square: 1
Triangle: 9
Star: 2

PUZZLE 108

PUZZLE 109

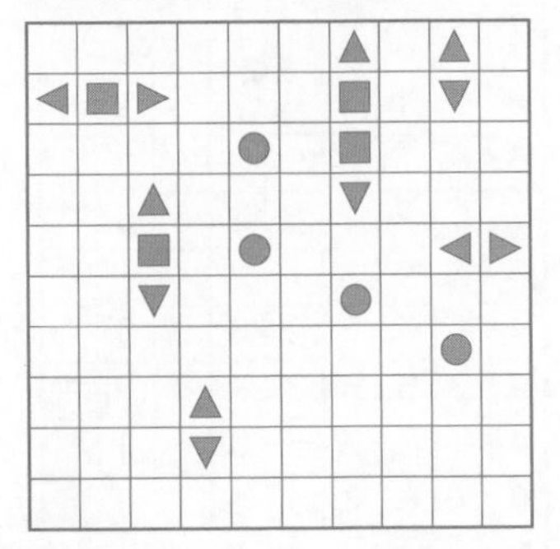

PUZZLE 110

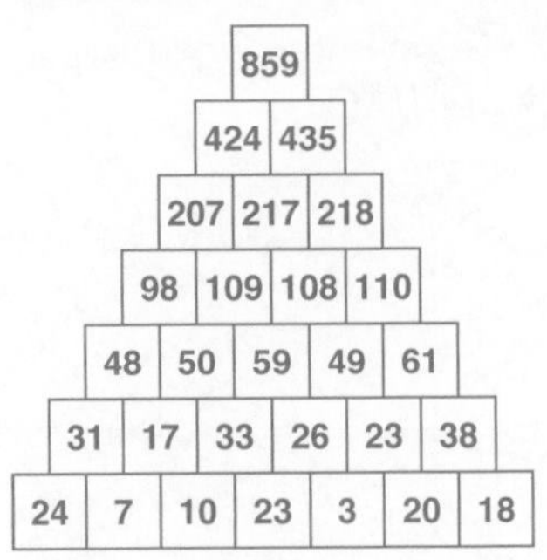

PUZZLE 111

PUZZLE 112

PUZZLE 113

PUZZLE 114

PUZZLE 115

The nine-letter word is:
EXCLAIMED

PUZZLE 116

2	3	8	9	1	5	7	6	4
5	9	1	4	6	7	3	2	8
6	4	7	5	9	3	1	8	2
7	6	4	1	8	2	5	3	9
3	5	9	2	7	8	4	1	6
4	1	3	8	2	6	9	5	7
9	2	5	6	3	4	8	7	1
1	8	2	7	5	9	6	4	3
8	7	6	3	4	1	2	9	5

PUZZLE 117

8	x	2	÷	4	4
+		x		-	
5	-	6	÷	1	-1
+		x		-	
9	x	3	+	7	34
22		36		-4	

PUZZLE 118

Circle: 10
Square: 4
Triangle: 3
Star: 1

PUZZLE 119

PUZZLE 120

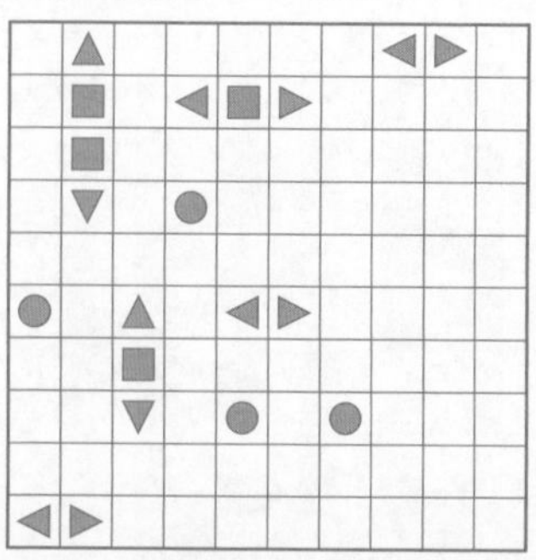

PUZZLE 121

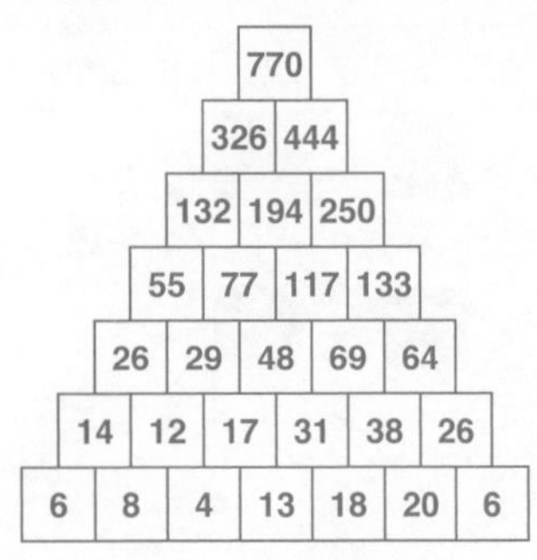

PUZZLE 122

PUZZLE 123

PUZZLE 124

PUZZLE 125

6	7	1	9	2	5	4	3	8
8	5	3	4	1	6	9	7	2
2	4	9	3	8	7	5	6	1
5	8	4	2	3	1	6	9	7
1	9	7	6	5	8	3	2	4
3	6	2	7	9	4	8	1	5
9	1	6	5	4	2	7	8	3
7	2	5	8	6	3	1	4	9
4	3	8	1	7	9	2	5	6

PUZZLE 126

The nine-letter word is:
DIFFERENT

PUZZLE 127

5	3	9	4	7	2	1	8	6
7	8	6	9	1	3	5	4	2
6	1	2	8	3	5	4	9	7
8	7	5	2	9	6	3	1	4
4	6	1	3	5	8	2	7	9
2	9	4	1	8	7	6	5	3
9	4	3	5	6	1	7	2	8
1	2	7	6	4	9	8	3	5
3	5	8	7	2	4	9	6	1

PUZZLE 128

8	x	7	x	5	280
x		-		÷	
3	+	9	÷	1	12
+		÷		+	
4	+	2	÷	6	1
28		-1		11	

PUZZLE 129

Circle: 8
Square: 3
Triangle: 2
Star: 6

PUZZLE 130

A	U	T	O	C	R	A	T		W	E	E	K
L		R		Y		R				Q		I
E	N	A	C	T		A	D	J	O	U	R	N
S		S		O		B				A		G
		H		P		I	N	V	A	L	I	D
I	D	Y	L	L	I	C		E		S		O
M				A				N				M
A		E		S		F	I	E	S	T	A	S
G	R	A	M	M	A	R		Z		E		
I		R				A		U		N		L
N	E	W	S	M	E	N		E	X	U	D	E
E		I				K		L		R		T
D	I	G	S		E	S	C	A	P	E	E	S

PUZZLE 131

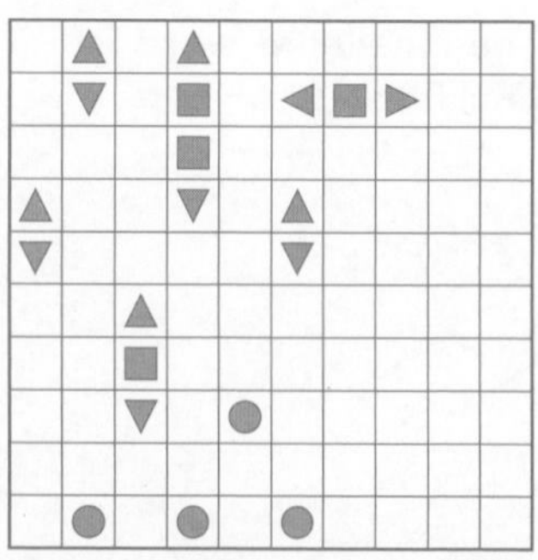

PUZZLE 132

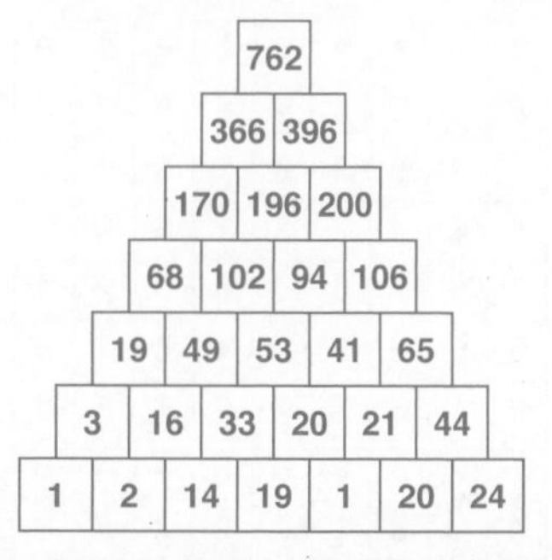